ARCHIVES DES LETTRES MODERNES
1969 (2)   (IV)   n° 97 ³²²⁻³²⁵

Serge GAULUPEAU
Brown University

André Malraux

et

la mort

ABREVIATIONS

A : *Antimémoires*, Gallimard, 1967.

JE : *D'une jeunesse européenne*, Grasset, 1927.

NA : *Les Noyers de l'Altenburg*, Gallimard, 1948.

Romans : *Les Conquérants, La Condition humaine, L'Espoir*, « Bibliothèque de la Pléiade », Gallimard, 1947.

S : *Saturne*, Gallimard, 1950.

TM : *Le Temps du mépris*, Gallimard, 1935.

TO : *La Tentation de l'Occident*, Grasset, 1926.

VR : *La Voie royale*, Le Livre de poche, 1966.

VS : *Les Voix du silence*, Gallimard, 1951.

R APPROCHANT dans une de ces introductions brillantes, nerveuses et quelquefois profondes dont il a le secret, Chateaubriand et Malraux, Julien Gracq reproche à ce dernier d'avoir passé trop vite « *du principat de la jeunesse à la catégorie Son et Lumière* »[1].

L'allusion féroce (aux activités ministérielles de Malraux en général, à son discours d'Athènes en particulier, par lequel, en 1959, il inaugurait effectivement le premier spectacle nocturne organisé sur l'Acropole par une société française) a de quoi frapper. Et pourtant, elle passe à côté de l'essentiel. Avant de le juger, il faut envisager Malraux dans la totalité de son œuvre.

De tout temps — il n'a pas attendu d'être ministre pour cela — Malraux a eu besoin d'un certain éclairage — ce n'est pas pour rien qu'il s'est intéressé si profondément au cinéma —, d'une caisse de résonance — le théâtre grec aussi... —, ou, comme sa première femme prend soin de le rappeler, des « *embellissements pathétiques* »[2]. Cela peut agacer, mais c'est un fait.

D'ailleurs, il faut bien admettre que l'insolente assurance — très barrésienne en cela, très proche du premier Barrès — grâce à laquelle l'auteur des *Noyers de l'Altenburg* n'a cessé de jongler avec les morts, les idées, les siècles, les

empires, les civilisations, ne pouvait manquer — dès l'origine[3] — d'irriter les amateurs frileux, comme plus tard, les
spécialistes assis de l'engagement et autres professionnels du
raisonnement.

Ne lui est-il pas arrivé dans les années 20 de déclarer
à sa femme, sous forme de boutade : « *Il ne faut pas vous
désespérer, je finirai bien par être Gabriele D'Annunzio.* »[4] ?

Toujours lucide, il ira jusqu'à dire : « *Je mens, mais mes
mensonges deviennent des vérités.* »[5]. Plaisanterie ? Peut-
être ! Mais qui, à elle seule, suffirait à définir une faculté de
transformation, c'est-à-dire un style.

Cet homme dont la vie est remplie d'actions, d'événements, se veut pourtant presque sans biographie personnelle.

> Sous l'artiste, on veut atteindre l'homme ? Grattons jusqu'à
> la honte la fresque ; nous finirons par trouver le plâtre. Nous
> aurons perdu la fresque, et oublié le génie en cherchant le
> secret. La biographie d'un artiste, c'est sa biographie d'artiste,
> l'histoire de sa faculté *transformatrice*. (VS, 418)

Aussi bien, il fait dire à l'un des personnages de *La Voie
royale* : « *Exister dans un grand nombre d'hommes, et peut-
être pour longtemps. Je veux laisser une cicatrice sur cette
carte.* »[6]. « *Laisser une cicatrice sur cette carte...* » c'est exister
dans la mémoire des hommes non pas à la manière des faits,
mais à la manière des mythes.

Nous ne connaissons rien de l'enfance de Malraux, si peu
de sa jeunesse. Ce que nous en savons c'est comme malgré
lui[7]. De temps en temps un éclair nous en révèle quelque
circonstance : la « *mort de vieux Viking* » de son grand-père[8],
le suicide de son père, la disparition de ses deux frères pendant la seconde guerre mondiale, l'un englouti avec son
bateau torpillé, l'autre fusillé par les Allemands[9] ; la mort,
encore, de sa seconde femme à la Libération ; la mort, tou-

jours, de ses deux fils dans un accident de voiture... Catastrophes totales, définitives, par lesquelles la vie, ironiquement, semble cruellement vérifier pour lui la boutade déjà citée : « *Je mens* [c'est-à-dire « j'invente »] *mais mes mensonges deviennent des vérités.* ». Le tragique est bien la dimension caractéristique de ces existences aventureuses qui — à chaque pas — semblent « inventer » leur propre destin. Leur vie finit par ressembler à leur œuvre, non le contraire.

Imaginons un Pascal[10] qui aurait prolongé sa période mondaine jusqu'à épuiser tous les « divertissements » d'une vie intense, un Pascal qui refuserait de se soumettre à son Dieu, un Pascal vaticinant sur les ruines de la Révolution, de l'Art, de l'Amour, un Pascal cherchant désespérément la communion avec tout ce qu'il y a d'infini dans le désir fini des hommes, un Pascal qui aurait voulu relever le défi de La Rochefoucauld : « *Le soleil ni la mort ne se peuvent regarder fixement* »[11], et qui rentrerait vacillant, tout chamarré de sang crépusculaire, ébloui de sa vision, jetant à pleines poignées dans son œuvre les images de la Mort. Tel est Malraux. Il « invente » la Mort, c'est-à-dire qu'il la découvre omniprésente : alpha et omega de l'existence.

Julien Gracq, encore lui, a pu dire, et cette fois sans le moindre souci polémique : « *Le monde des romans de Malraux est un monde dominé par des tensions à peine supportables* [...] *L'histoire comme obsession et comme cauchemar achève avec Malraux de culminer dans notre ciel à la manière d'un soleil noir.* »[12]. Voilà qui définit « *une sorte de volontarisme frénétique tendu sur le vide, sur la mort, dont on peut dire qu'il n'y a pas une page de Malraux d'où elle soit absente* », et une vision apocalyptique : « [...] *la danse tragique, vaine des personnages de ses livres glisse sur la surface de la planète comme sur l'œil énorme d'un dieu mort.* »[13]. Soulignons là, au passage, une accentuation fataliste, spen-

glérienne pour ainsi dire, qui ne correspond sans doute pas
à la vérité ultime de l'œuvre. Quoi qu'il en soit, il faut bien
le constater, pour l'auteur de *La Condition humaine*, la Mort
est objet, la Mort est sujet, la Mort est... existence. Qu'est-ce
à dire ? Deux choses au moins :

— d'abord, on la rencontre d'un bout à l'autre de son
œuvre : peut-être même est-ce cette présence, tour à tour
farfelue, sourde et aveuglante, subie ou dominée, qui donne
à l'ensemble des écrits romanesques de Malraux cette unité
que des critiques aussi divers que Cl.-Edmonde Magny,
A. Hoog, P. de Boisdeffre, ont soulignée. Déjà, dans son premier ouvrage, *Lunes en papier*, la Mort tient le devant de la
scène. Dans *L'Espoir*, puis dans *Les Noyers de l'Altenburg*,
elle occupe tout l'horizon [14], celui de la pensée et celui de
l'action. En route, elle s'est enrichie à travers *Les Conquérants*, *La Voie royale*, *La Condition humaine*, *Le Temps du
mépris*, de toutes les richesses d'une imagination fertile ;

— ensuite, et dans la mesure où elle ne peut être évacuée
par la dérision (le farfelu : part rentrée du rire, héritage
condensé de Cyrano et des fatrassiers, convoqués dans un
rassemblement de siècles inquiets, par l'accusation ironique,
au déploiement de drapeau des Ombres...), la Mort nous
oblige à la regarder dans son horreur fascinante, puis à
l'assumer dans une sorte de grandeur exigeante. La condition
de l'homme est telle qu'elle le fait osciller sans cesse entre
la présomption qui ruine le monde au profit du moi, et le
désespoir qui ruine le moi au profit du monde. Impossible
d'échapper à ce vertige d'angoisse, d'exorciser la Mort qui
grouille dans la profondeur des êtres et des choses, sinon en
l'intégrant à une vision du monde qui se donne à nous sous
forme d'une « légende » où précisément la mort se révélerait
comme objet, dans l'expérience brute, comme sujet, dans
l'épreuve, comme existence, dans le style...

Afin de tenter de clarifier le débat, une remarque préliminaire s'impose.

Dans *La Tentation de l'Occident*, Malraux écrit : « *Pour détruire Dieu et après l'avoir détruit, l'esprit européen a anéanti tout ce qui pouvait s'opposer à l'homme : parvenu au terme de ses efforts, comme Rancé devant le corps de sa maîtresse, il ne trouve que la mort.* » (*TO*, 203).

Voilà donc le constat d'un néant.

Par ailleurs dans une lettre à A. Hoog, Malraux souligne ceci :

Je pense que vous avez raison d'insister sur ce que vous appelez ma permanence [...] l'*Altenburg*, récrit, poserait seulement d'une manière plus claire le problème qui est sous-jacent à tout ce que j'écris : comment faire prendre conscience à l'homme qu'il peut fonder sa grandeur, sans religion, sur le néant qui l'écrase. [15]

Puisqu'il est question de fondation, il ne s'agit pas de nihilisme. Et ceux qui en ont accusé Malraux comme ceux qui l'ont accusé de fascisme ont commis un lourd contresens.

Pour s'en convaincre, il suffit de lire cet écrit prémonitoire qui s'appelle *D'une jeunesse européenne*, paru en 1927, où, certes, quinze ans avant *Le Mythe de Sisyphe* et *L'Etre et le Néant*, Malraux parle de l'absurde, mais où, surtout, il dénonce, en des termes d'une force inégalée dans la littérature française de ces années-là, le nihilisme précisément :

Notre civilisation, depuis qu'elle a perdu l'espoir de trouver dans les sciences le sens du monde, est privée de tout but [...] nous voici au point où l'individualisme triomphant veut prendre de lui-même une conscience plus nette. Chargé des passions successives des hommes, il a tout anéanti, sauf lui-même ; élevé par les **plus hauts esprits de** notre époque, précédé de la folie de **Nietzsche et paré de** la dépouille des dieux, le voici devant nous, et nous ne voyons en lui qu'un triomphateur aveugle. (*JE*, 145-6)

Et de préciser : « *Notre époque où rôdent encore tant d'échos, ne veut pas avouer sa pensée nihiliste, destructrice, foncièrement négative.* » (*JE*, 148).

Malraux, alors, ne peut s'empêcher de pousser ce cri de détresse qui, au fond, ne cesse de résonner dans toute son œuvre : « *Doctrines, religions, qu'il est dur à l'homme de ne point vous faire hommage de sa solitude...* » (*JE*, 148) [16].

Quoi de plus religieux, en un sens, que cette tentative !

Pour trouver quelque chose de comparable, il faut se tourner, hors de nos frontières, vers Heidegger (*Sein und Zeit* date également de 1927), le Heidegger de la *Lettre sur l'Humanisme* en particulier [17].

L'étrange, dans tout cela, c'est que l'homme meurt de la mort du dieu qu'il fait mourir en lui.

La réalité absolue a été pour vous Dieu, puis l'homme ; mais *l'homme est mort*, après Dieu, et vous cherchez avec angoisse celui à qui vous pourriez confier son étrange héritage. Vos petits essais de structure pour des nihilismes modérés ne me semblent plus destinés à une longue existence. (*TO*, 166)

Il reste à trouver un fondement nouveau à l'humanité de l'homme et c'est précisément en cela qu'on peut dire de cette tâche qu'elle est religieuse. Si, pour Malraux, le christianisme est inacceptable parce qu'il refuse la révolte, l'humanisme — au sens traditionnel — l'est bien plus encore, parce qu'il supprime le Sacré.

Je ne pense pas qu'un humanisme, quelles que soient son étendue et même ses racines, puisse apporter l'adhésion profonde — la communion — par quoi les grandes religions unissent les vivants et les morts, l'ombre fugitive des hommes et le cosmos. Sa nature n'est pas la leur. Mais je pense que, dans un monde passablement désert, la volonté de nous relier aux formes disparues de la grandeur, est, hors d'une foi profonde, le seul moyen que l'homme conserve de se tenir encore droit. Et que, pour le mettre à quatre pattes, il y a foule. [18]

Homme révolté, conquérant et malade [19], Garine vit la contradiction essentielle de toute condition d'homme. La tension dramatique qui naît du partage entre la nécessité de destruction des valeurs anciennes et la volonté du Sacré, s'élève jusqu'au cauchemar dans la fameuse scène où, comme le dit Malraux, Garine « *est à la limite du délire* », c'est-à-dire en fait, à l'extrême pointe de *sa* vérité.

A Kazan, la nuit de Noël 19, cette procession extraordinaire... [...] Ils apportent tous les dieux devant la cathédrale [...] Un bûcher brûle [...] Un chahut triomphal ! Les porteurs fatigués jettent leurs dieux sur les flammes : une grande lueur [...] fait sortir la cathédrale blanche de la nuit... Quoi ? la Révolution ? [...] Pourriture !.. On voit des choses. La Révolution, on ne peut pas l'envoyer dans le feu : tout ce qui n'est pas elle est pire qu'elle, il faut bien le dire, même quand on en est dégoûté... (*Romans*, 115)

Fonder l'homme ? « *L'âge du fondamental recommence* [...] *La raison doit être* fondée à nouveau... » C'est Alvear qui parle dans *L'Espoir* (*R*, 705). C'est aussi Walter qui lit, dans *Les Noyers de l'Altenburg*, cette phrase de Möllberg : « *Existe-t-il une donnée sur quoi puisse se fonder la notion d'homme..?* » (NA, 150). Entre cette croyance et ce doute se situe l'essentiel de l'interrogation malrucienne dont L. Goldmann a parfaitement mis en évidence la nécessité.

Si le comportement de l'individu ne peut [...] se fonder ni sur des valeurs transindividuelles (puisque l'individualisme les avait toutes supprimées), ni sur la valeur incontestable de l'individu (maintenant mise en question), la pensée devait nécessairement se centrer sur les difficultés de ce fondement, sur les limites de l'être humain en tant qu'individu et sur la plus importante d'entre elles, sa disparition inévitable, la mort. [20]

Pour cela, Malraux essaiera d'abord de fixer, de décrire — *sans s'y abandonner* — le Néant qui submerge toutes choses. D'où cet hymne à la lucidité qui, style inclus, se situe entre l'*Anabase* de Saint-John Perse et *L'Eté* de Camus, et qui clôt *La Tentation de l'Occident* :

Lucidité avide, je brûle encore devant toi, flamme solitaire et droite, dans cette lourde nuit où le vent jaune crie, comme dans toutes ces nuits étrangères où le vent du large répétait autour de moi l'orgueilleuse clameur de la mer stérile. (*TO*, 205)

I

LE SPECTACLE DE LA MORT

« Si le monde a un sens, la mort doit y trou-
ver sa place, comme dans le monde chrétien ;
si le destin de l'humanité est une Histoire, la
mort fait partie de la vie ; mais sinon la
vie fait partie de la mort. »
(Les Noyers de l'Altenburg)

« Dans le demi-sommeil, comme si l'Asie
eût trouvé en cet homme une puissante
complicité, elle ramenait jusqu'aux rêveries
nées des Chroniques : départs... appels des
caravanes... ambassades arrêtées par la
baisse des eaux... vieux rois décomposés par
la main des femmes ; et l'autre rêverie indes-
tructible : les temples, les dieux de pierre
vernis par les mousses, une grenouille sur
l'épaule et leur tête rongée, à terre à côté
d'eux. » (VR, 14-15)

I L y a, pour Malraux, du fait même de son actualité, de
sa permanence, comme une histoire, un passé de la Mort,
histoire perceptible par les traces qu'elle laisse de son
passage, en particulier par les ruines accumulées des différentes civilisations.

Les dieux meurent avec chacune des civilisations qui les
ont fait naître : c'est le sens à donner à l'immense drame
universel qui enveloppe les hommes et dont témoigne le
travail des archéologues qui ramènent au jour une impres-

sionnante succession de restes mutilés, depuis ceux laissés par l'art grec archaïque jusqu'à ceux des arts de la préhistoire, en passant par Byzance, l'Inde, l'Egypte, Babylone et l'art nègre, tour à tour redécouverts. Enumération à elle seule accablante.

A côté des ruines, les ossements. *La Tentation de l'Occident* nous offre ce spectacle digne d'un film de Poudovkine : « *Près de l'horizon, sur les herbes sauvages, une ligne d'ossements en proie aux fourmis marque le passage des armées.* » (*TO*, 17).

Perken, dans *La Voie royale*, raconte à Claude Vanec, « *la découverte de deux squelettes (des pilleurs de sépultures sans doute) trouvés lors des dernières fouilles de la Vallée des Rois sur le sol d'une salle souterraine d'où partaient des galeries tapissées à l'infini de momies de chats sacrés* » (*VR*, 12).

Le spectacle des civilisations écroulées préfigure la mort de notre propre civilisation. Rentrant d'Asie, après l'échec de son rêve, et regagnant l'Altenburg, Vincent Berger débarque à Marseille. Il se sent étranger à ce monde qui est pourtant celui de ses origines, il se sent isolé des passants qui vaquent à leurs humbles besognes.

Jeté à quelque rive de néant ou d'éternité, il [...] contemplait la confuse coulée — aussi séparé d'elle que de ceux qui avaient passé, avec leurs angoisses oubliées et leurs contes perdus, dans les rues des premières dynasties de Bactres et de Babylone, dans les oasis dominées par les tours du Silence. A travers la musique et l'odeur du pain chaud, des ménagères se hâtaient [...] un commis en calotte rapportait un mannequin sur son dos, à l'intérieur d'un étroit magasin plein d'ombres... (*NA*, 78-79)

Et Malraux ajoute cette phrase terrible dans sa simplicité : « *Sur la terre, vers la fin du second millénaire de l'ère chrétienne...* »[21].

Vincent Berger, sous ce ciel marseillais qu'il finit par identifier au soir asiatique, se sent seul, exposé et mortel. Pour lui, comme pour Malraux, derrière chaque ciel, il y a le silence lourd de la divinité, et ce silence s'appelle la fatalité que résume, mieux qu'aucun autre, le ciel chaldéen, qui est le ciel traditionnel de l'astronomie, de l'astrologie, de la recherche du Destin. Les « ziggourats » qui s'y rapportent expriment à la fois l'instinct métaphysique, la soif de connaissance et la volonté de puissance de l'homme. Grandioses et vains témoignages de l'inquiétude humaine dans la nuit asiatique, cette nuit du destin et de la mort de Tchen dans *La Condition humaine* :

> Tchen regardait toutes ces ombres qui coulaient sans bruit vers le fleuve, d'un mouvement inexplicable et constant ; n'était-ce pas le Destin même, cette force qui les poussait vers le fond de l'avenue où l'arc allumé d'enseignes à peine visibles devant les ténèbres du fleuve semblait les portes mêmes de la mort ? (*Romans*, 353)

Les ruines, les ossements, le ciel au-dessus des foules — immense et immuable comme la Durée au-dessus du temps — jalonnent le passage de la Mort.

Si le passé meurt, le présent aussi affirme sa précarité. C'est toujours contre la Mort que se manifeste la fraternité — sous forme de communion des hommes — dans la Révolution, l'Amour et l'Art. Mais cette fraternité difficile est fragile. C'est toujours la Mort qui écrase — sous forme de violence — l'autre dans la guerre (qui est une révolution défigurée), dans l'érotisme (qui est un amour dévié), dans le dogmatisme (fait de figures sacrales imposées) [22].

Le lourd bilan de la Mort, Malraux nous le présente sous forme d'un livre de comptes toujours ouvert et sur lequel les artistes de tous les temps ont laissé leur paraphe. Qu'on

songe simplement au sculpteur assyrien de la *Lionne blessée*,
au peintre de la bouleversante *Pietà d'Avignon*, au Goya
des *Caprices*, au Picasso de *Guernica*.

Il ne saurait être question ici de mettre en évidence
tous les procédés, toutes les figures utilisés par Malraux
pour nous faire saisir l'emprise de la Mort. Simplement, et
dans une large approximation, nous distinguerons chez lui
des scènes d'ensemble qui se déroulent sous nos yeux comme
une tapisserie allégorique, largement dominée par l'angoisse,
fille majeure de la Mort, tapisserie sur laquelle s'inscrivent
fiévreusement, non de saintes et naïves histoires, mais la
perspective agrandie et la lumière menaçante d'un effroi
approfondissant ; à côté de ces scènes allégoriques, il faut
noter la présence d'une myriade d'images dont on pourrait
dire qu'elles sont les images des sous-produits de la Mort.

LES SCÈNES ALLÉGORIQUES DE L'ANGOISSE

Chacun se souvient de ce moment crucial où Perken,
dans *La Voie royale*, va essayer de jouer son va-tout en négo-
ciant la libération de Grabot (Grabot aux yeux crevés, esclave
œdipéen, condamné à faire tourner sans fin une meule...).
Là se trouve, à proprement parler, la ligne de partage du
roman, qui baigne pendant vingt pages dans un déferlement
de magie instinctive. Etrange *potlach*, sexualité sanglante où
la Mort joue gagnant à tous les coups puisqu'au moment
précis où Perken s'enfonce en elle, elle s'enfonce en lui, sous
la forme de ces fléchettes empoisonnées sur lesquelles il vient
de tomber et dont le poison déclenchera la gangrène.
Jusqu'au plus interne de sa volonté, quelque chose vient à
sa rencontre, appelé — ô ironie — par les gestes mêmes de
sa liberté, quelque chose dont il a eu le pressentiment depuis

toujours, mais qu'il ne connaît pas encore, et qui a trait à sa dépendance inexorable. Comme plus tard, lorsqu'il sera trop tard pour lui, « *la volonté des hommes reprenait ici sa place de commandement*, AU SERVICE DE LA MORT » (*VR*, 163).

Claude Vanec, Grabot, Perken, jeunesse menacée, yeux aveuglés, virilité blessée, visage tri-lobe, prodigieux fétiche qui, tournant sur lui-même comme ces masques primitifs multi-faces, nous offre, tour à tour, les reflets brisés, mais complémentaires, de l'unique fatalité. Rappelons-nous la lente progression de Perken :

A mesure qu'il s'approchait, les Moïs inclinaient vers lui leurs lances qui luisaient vaguement dans la lumière mourante [...] il s'enfonçait dans la mort même, le regard fixé sur le rayon horizontal qui là-haut s'allongeait de plus en plus [...] le jour décomposé qui précède de quelques instants la nuit des Tropiques s'effondra sur la clairière : les formes des Moïs se brouillèrent, sauf la ligne des lances noires sur ce ciel mort et dont le reflet rouge était parti [...] Les Moïs tenaient leurs lances des deux mains, en travers de leur poitrine, comme lorsqu'ils s'approchent des fauves. Et il respirait comme une bête. (*VR*, 132-134)

Ce bruit de cœur qui s'impose en surimpression sonore (il ne faut jamais oublier que Malraux a été fasciné par le cinéma) [23] renvoie au silence de lanterne magique et d'ombres chinoises de la première scène dans *La Condition humaine* — la scène du meurtre — si justement célèbre.

A travers l'arme, son bras raidi, son épaule douloureuse, un courant d'angoisse s'établissait entre le corps et lui jusqu'au fond de sa poitrine, jusqu'à son cœur convulsif, seule chose qui bougeât dans la pièce. Il [*Tchen*] était absolument immobile ; le sang qui continuait à couler de son bras gauche lui semblait celui de l'homme couché [...] Ses doigts étaient de plus en plus serrés, mais les muscles du bras se relâchaient et le bras tout entier commença à trembler par secousses, comme une corde. Ce n'était pas la peur, c'était une épouvante à la fois atroce et

solennelle qu'il ne connaissait plus depuis son enfance : il était
seul avec la mort, seul dans un lieu sans hommes [...] Il parvint
à ouvrir la main [...] sur le drap une tache sombre commença à
s'étendre, grandit comme un être vivant. Et à côté d'elle, gran-
dissant comme elle, parut l'ombre de deux oreilles pointues [...]
c'était du balcon que venait l'ombre. Bien que Tchen ne crût pas
aux génies, il était paralysé, incapable de se retourner. Il sur-
sauta : un miaulement. (*Romans*, 183-184)

L'image du chat, médiatrice du retour à la vie, traîne
après elle des relents de la mort. Comme si le chat furtif
portait en lui les reflets de deux existences. De même que
son ami le peintre Balthus [24] ou que son autre ami, J. Gre-
nier [25], Malraux semble fasciné par cet animal [26]. Il y aurait
d'ailleurs une curieuse étude à entreprendre sur les avatars
du lion de saint Jérôme, transformé en chat chez Baudelaire,
dans la perspective — encore faustienne — d'une projection
féminine, de l'*anima* du savant solitaire ; métamorphose qui
se poursuit chez Laforgue et ses contemporains, sous l'aspect
du matou, noctambule comme un pierrot lunaire, pour donner chez Malraux ce témoin sans conscience mais étrange,
farfelu et en même temps appliqué, qui resurgit tout au long
de l'œuvre, ou bien surpris dans son mouvement : insaisissable forme, ombre présente dès les premières pages de
La Voie royale ; et comme nous l'avons vu, de *La Condition
humaine* ; ou bien idole hypostasiée sous l'aspect burlesque
d'une enseigne. « Black Cat » n'est-ce pas le nom de la boîte
où Clappique joue l'essentiel de son personnage de *commedia
dell' arte*, où, fantasmagorique baron, il achève de se dis-
soudre en rêve, de se perdre ?

« El Gato », toujours lui, sert d'enseigne, dans *L'Espoir*,
à une taverne de Tolède où Shade — au nom plein d'ombre —,
journaliste errant de la guerre d'Espagne, essaie, sans y par-
venir, comme il ne parvient pas à se concilier les matous,
essaie donc de fixer les formes surgies ici et là de la nuit

(Shade, journaliste, c'est-à-dire non créateur, qui porte sans doute en lui le mélancolique regret de romans qui ne seront jamais écrits).

Lorsqu'il descend de son enseigne, le chat, par son ministère dérisoire, accroît l'horreur sacrale de certaines scènes :

[...] les corps étaient tombés sur le ventre, têtes au soleil, pieds à l'ombre. Un tout petit chat mousseux penchait ses moustaches sur la flaque de sang de l'homme au nez plat. Un garçon s'approcha, écarta le chat, trempa l'index dans le sang et commença à écrire sur le mur. Manuel, la gorge serrée, suivait la main : « MEURE LE FASCISME » *. (*Romans*, 505)

D'un certain point de vue, cette forme énigmatique (entéléchie de toute forme, en soi insaisissable), ce fétiche tour à tour amical et inquiétant, cette créature de clin d'œil, pourrait bien être la seule trace vivante (il faut prendre ici le mot en son sens plénier, puisqu'il s'agit d'une manifestation anima-le), de la présence inexpliquée, inexplicable, du divin (inversé) dans le monde.

Les chats, ces délégués du songe, venus tout droit du *Royaume Farfelu* qui, ne l'oublions pas, constitue « *l'Empire de la Mort* » [27], paraissent parfois matérialiser, chez Malraux, quelque « dyable » ironique (souvenir du moyen âge), ou plutôt, quelque sous-démiurge (souvenir de l'Egypte, du *Corpus Hermeticum* ?), quelque morceau d'Etre, « *ici-bas chu d'un désastre obscur* », ou mieux, quelque cheminement de l'Ombre elle-même. Laissons la parole à Malraux :

J'appelle ce livre *Antimémoires* [28] [*dit-il de son dernier ouvrage*] parce qu'il répond à une question que les *Mémoires* ne posent pas, et ne répond pas à celles qu'ils posent ; et aussi parce qu'on y trouve, SOUVENT LIÉE AU TRAGIQUE, UNE PRÉSENCE IRRÉFUTABLE ET GLISSANTE COMME CELLE DU CHAT QUI PASSE DANS L'OMBRE : celle du farfelu dont j'ai sans le savoir ressuscité le nom. (*A*, 20) [29]

(*) En petites capitales dans le texte.

Signe que la finitude adresse à l'homme ? Magie qui fait apparaître ce qui le sépare à jamais de lui-même ?

Lorsque je passai devant une Dourga sanglante, un chat noir descendit de son épaule et partit lentement vers les ténèbres, sous la cavalerie cabrée des chevaux divins, comme s'il eût été le secret de l'univers... (*A*, 274)

On songe à la chauve-souris de la huitième des *Elégies de Duino*. L'oiseau « *né d'un sein* [...] *traverse l'air, ainsi que le cheminement d'une fêlure dans la tasse. C'est ainsi que la trace de la chauve-souris déchire la porcelaine du soir* »[30].

Le chat studieux (« *Il rêve avec une bizarre attention, sans objet* », *A*, 515) ou cocasse (Estragon V, assisté de ses chats Gryphu, Tachu et Moustachu[31]) ou suiveur (« *ce drôle noir* », *A*, 461), Malraux l'associe à des rites qui sont généralement des rites funèbres. Rites propitiatoires qui réintègrent le vivant dans la communauté de tous les jours, mais en approfondissant son regard du souvenir de la descente aux Enfers.

Le pur énoncé de la Mort qui *inéluctablement* conduit Malraux à l'énoncé d'un monde esthétique de Formes, fait curieusement appel chez lui à la « figure » exemplaire du chat. C'est ainsi que dans *La Tentation de l'Occident*, Ling, le Chinois, s'adresse à l'Occidental A.D. en ces termes :

Lorsque je dis : le chat, ce qui domine mon esprit n'est pas l'image d'un chat, ce sont certains *mouvements*[32] souples et silencieux spéciaux au chat. Vous distinguez une espèce des autres par sa ligne. PAREILLE DISTINCTION NE S'APPUIE QUE SUR LA MORT. On dit que vos peintres, jadis, étudiaient en dessinant des cadavres les proportions du corps humain. (*TO*, 112-113)

L'opposition complémentaire entre mouvement et ligne préfigure peut-être ici la distinction entre couleur expressive et dessin qu'on retrouvera dans *Les Voix du silence*. Mais pour l'instant ce n'est pas cela qui doit nous arrêter. C'est bien plutôt une formule contenue dans un chapitre des *Anti-mémoires*, presque entièrement consacré au Farfelu, à la « *fantaisie tragique* », formule qui tombe au pied du lecteur comme une pomme longuement mûrie tombe de l'arbre automnal. Malraux, parlant des explorateurs farfelus qui foisonnèrent au XIXe siècle, les nomme des « *promeneurs de l'inconnu* » (*A*, 83).

Faut-il imaginer le regard de ces « *promeneurs de l'inconnu* » (dont fait partie Malraux) et qui remontent du « *royaume aveugle* », comme imprégnés du contact de la Mort, faut-il imaginer ce regard « *comme si en lui était une âme étrusque, venue d'un mort* »[33], tout proche du regard animal ? « *Car près de la mort, on ne la voit plus, le regard se fige et devient peut-être celui de l'animal.* »[34].

Reprise du *Temps du mépris*, mais stylisée et comme réduite à l'essentiel dans les *Antimémoires*, nous retrouvons la scène de « retour sur la terre », « répétition » de la scène marquant l'arrivée de V. Berger à Marseille dans *Les Noyers de l'Altenburg*. Décantée de son bouillonnement circonstanciel, elle atteint à la transparente poésie de la Mort :

Je ne parvenais pas à reconnaître ces boutiques, cette vitrine de fourreur avec un petit chien blanc qui se baladait au milieu des peaux mortes, s'asseyait, repartait : un être vivant, aux longs poils et aux mouvements maladroits, et qui n'était pas un homme[35]. Un animal. J'avais oublié les animaux. Ce chien se promenait avec tranquillité sous la mort dont je portais encore le grondement retombant : J'AVAIS PEINE A DESSAOULER DU NÉANT.

Les gens existaient toujours. Ils avaient continué à vivre tandis que j'étais descendu au royaume aveugle. Il y avait ceux qui étaient contents d'être ensemble, dans la demi-amitié et la demi-chaleur, et sans doute ceux qui, avec patience ou véhémence, tentaient d'extraire de leur interlocuteur un peu plus de considération ; et au ras du sol, tous ces pieds exténués, et sous les tables quelques mains enlacées. La vie. Le théâtre de la terre commençait la grande douceur du début de la nuit, les femmes autour des vitrines avec leur parfum de flânerie...

Ne reviendrai-je pas par une heure semblable, pour voir la vie humaine sourdre peu à peu, comme la buée et les gouttes recouvrent les verres glacés — lorsque j'aurai été vraiment tué ? (*A*, 99-100)

Animal à fourrure, environné de fourrure, comme du nuage de sa propre mort, le petit chien blanc en question participe du totémisme félin qui gouverne cette œuvre. Exemplaire dans son inconscience, car — sans le savoir — il est la Simplicité de toutes choses, de même que l'enfant ; comme l'homme (mais lui le sachant) participe soudain, dans l'excès d'une conscience gonflée d'expérience, à l'extrême gravité du Simple.

Venu de l'outre-tombe des grandes mythologies, animal entre tous privilégié, forme ectoplasmique qui se dissout au moment même où elle commençait de se dessiner, le chat retient donc chez Malraux quelque chose de la fugacité irréelle qu'il avait chez Max Jacob — « *La fumée dont les courbes se poursuivent sur la tenture de soie bleue, frappée de roses en velours grenat, c'est le chat qui passe, cette fumée* »[36] — mais en même temps quelque chose du « Minuit » mallarméen.

Pour l'écrivain moderne qui a pris au sérieux — plus qu'aucun autre peut-être — le « Voyage » baudelairien[37], le chat, aimable feu follet, n'en est pas moins l'auxiliaire du rêve funèbre qui, sous la lumière énigmatique de la Mort, consiste à :

Plonger au fond du gouffre...
Au fond de l'INCONNU...

Signature[38] de quelques-unes des plus grandes pages du Livre (Malraux n'a jamais écrit qu'un seul livre), *signe* que le destin adresse à l'initié en en faisant un écrivain, l'image du chat contemporéanise — pour ainsi dire — la présence de la Mort dans les êtres en l'intériorisant au contenu de la vie. La musique — comme le glissement de la présence féline — jouera aussi dans l'œuvre de Malraux ce rôle du *génie*, non plus familier mais foudroyant, qui hante l'espace crépusculaire de l'œuvre, entre la mort et la vie, et *transforme* l'approche des choses.

Le carnaval de la Mort, dans l'angoisse, s'étend parfois chez Malraux au désordre d'une armée tout entière : l'immense fait écho chez lui au rêve individuel, comme le ciel de *Guerre et Paix* fait écho aux méditations du Prince André, comme le combat polaire des chevaliers teutoniques fait écho au délire tourmenté qui les habite chez Eisenstein, comme le prométhéisme du gigantesque fait écho à un sentimentalisme exorbité chez les Saint-Just de l'architecture de la fin du XVIIIᵉ siècle qui voulaient « *orchestrer la Nature* ». La seconde partie de *L'Espoir* s'ouvre tel le prélude funèbre d'une symphonie héroïque sur un fond de requiem cosmique :

La cohue affolée qui avait fui Tolède, les miliciens sans fusil du Tage, les débris des bataillons paysans d'Estrémadure, battaient la gare d'Aranjuez. Comme des feuilles réunies en tourbillon puis hachées par le vent, des groupes arrivés en courant se dispersaient dans le parc de marronniers plein encore de roses grenat, ou arpentaient, comme les fous[39] leur jardin, les allées aux platanes impériaux.

Les déchets des milices aux noms historiques, les Invincibles, les Aigles rouges, les Aigles de la Liberté, s'agitaient sur le tapis de fleurs tombées, aussi épais que l'est ailleurs celui des feuilles mortes, les bras ballants, leurs fusils tirés par le canon comme des chiens, et s'arrêtaient pour écouter le canon se rapprocher de l'autre côté de la rivière. Entre les coups qui montaient du sol, assourdis par l'épaisseur des fleurs de marronniers pourries, on entendait une cloche ancienne. (*Romans*, 654)

La Mort semble là sur le point de tout envahir, de tout terminer. D'ailleurs une « *cloche ancienne* » (ancienne comme le temps, comme l'inéluctable fin de toute chose, ancienne comme le destin de l'homme qui est de mourir) sonne le glas du bonheur, de l'honneur, de la jeunesse, d'un été condamné...

Mais aucune scène ne va plus loin que cette vision prémonitoire qui s'inscrit exactement entre Guernica et Hiroshima. C'est la scène des gaz dans *Les Noyers de l'Altenburg* :

[...] le soleil luisait avec le lugubre éclat qu'il a sur le charbon. Quelques rangs de pommiers poussaient décomposés, et pendants comme les arbres à lichen, leurs feuilles couleur de fumier collées aux branches blafardes [...] Sous eux, toute l'herbe était noire, d'un noir jamais vu. Noirs les arbres qui fermaient l'horizon, gluants eux aussi [...] Mortes les herbes, mortes les feuilles, morte la terre...

Seuls restaient verticaux, entre les pommiers, des chardons en touffes, dont boules, épines, feuilles, étaient devenues du même roux de fleur prête à tomber en poussière, tandis que leurs tiges avaient pris le blanc répugnant des pièces anatomiques [...] un cheval aux pattes réunies comme dans les instantanés de courses s'était effondré... pas encore raide, les yeux ouverts et gris [40], le poil pourri comme l'herbe et les feuilles, chaque muscle convulsé. Autour de lui montaient des bouillons blancs aux cierges roux comme les chardons, mais toutes leurs feuilles recroquevillées ; sur l'un, de la même couleur que sa tige, une grappe d'abeilles tuées était collée comme les grains d'un épi de maïs. Au-delà de cette profonde entrée de vallée des morts, au-delà d'une ligne lointaine de poteaux et de fils télégraphiques, le vent poussait de hauts nuages dans le ciel sans oiseaux. (*NA*, 218-219)

Ces noces à rebours de la terre défaite et d'un soleil concentrationnaire évoquent une sorte de maléfice, comme une ironie mauvaise qui planerait sur la création, quelque chose comme le souffle inquiétant d'un démiurge méchant [41]. Tel un personnage de peinture flamande, la Mort est fertile en inventions bizarres et cruelles.

LES IMAGES DES SOUS-PRODUITS DE LA MORT

A côté des images d'angoisse et de sang, nous trouvons chez Malraux — et cette énumération n'est pas exhaustive :

— *des images de torture et de supplice* : Grabot dans *La Voie royale* ; Klein, dans *Les Conquérants* : « *une large tache au milieu du visage : la bouche agrandie au rasoir* » (*Romans*, 136) ; Klein dont on a coupé les paupières ; Kassner : « *Sous un coup à la mâchoire il sentit qu'il crachait le sang, et, à l'instant où il entendait : "Alors quoi, tu craches ton drapeau ?" un gros trait rouge lui jaillit à la figure, crépitant et fulgurant : un coup à la nuque. Il s'évanouit enfin.* » (*TM*, 43). Kassner et tant d'autres...

— *des images d'impuissance* : celle de Garine, celle de Perken, minés par la maladie ou l'infection, incapables d'achever leur œuvre...

Seul. Seul avec la fièvre qui le parcourait de la tête au genou, et cette chose fidèle posée sur sa cuisse : sa main.

Il l'avait vue plusieurs fois ainsi, depuis quelques jours : libre, séparée de lui. Là, calme sur sa cuisse, elle le regardait, elle l'accompagnait dans cette région de solitude où il plongeait avec une sensation d'eau chaude sur toute la peau. Il revint à la surface une seconde, se souvint que les mains se crispent quand l'agonie commence. Il en était sûr. Dans cette fuite vers un monde aussi élémentaire que celui de la forêt, une conscience atroce demeurait : cette main était là, blanche, fascinante, avec ses doigts plus hauts que la paume lourde, ses ongles accrochés aux fils de la culotte comme les araignées suspendues à leurs toiles par le bout de leurs pattes sur les feuilles chaudes ; devant lui dans le monde informe où il se débattait, ainsi que les autres dans les profondeurs gluantes. Non pas énorme : simple, naturelle, mais vivante comme un œil. La mort, c'était elle. (*VR*, 178-179)

Le non-humain et le non-être se font signe par-dessus la tête de l'homme.

— *des images de désespoir et d'humiliation* (Hemmelrich dans *La Condition humaine* : « *Je me fais l'effet d'un bec de gaz sur quoi tout ce qu'il y a de libre dans le monde vient pisser.* » (*Romans*, 334).

— *des images de la folie* dont l'obsession domine d'un bout à l'autre *Le Temps du mépris* comme elle déborde de toutes parts l'œuvre de Goya qui fascine Malraux, et finit par triompher de Nietzsche, dont l'évocation fournit à l'auteur des *Noyers de l'Altenburg*, l'épisode central de ce dernier livre.

— *des images de décomposition*, souvent liées à la présence des insectes, particulièrement sensible dans les premières œuvres (mille-pattes, araignées, punaises, encombrent aussi les rêves de Kassner dans son cachot...).

On trouve dans *La Voie royale* une longue litanie de l'horreur gluante dont s'est probablement souvenu Sartre, en écrivant *La Nausée* :

Claude sombrait comme dans une maladie dans cette fermentation où les formes se gonflaient, s'allongeaient, pourrissaient hors du monde dans lequel l'homme compte, qui le séparait de lui-même avec la force de l'obscurité. Et partout, les insectes. [...] Les insectes, eux, vivaient de la forêt, depuis les boules noires qu'écrasaient les sabots des bœufs attelés aux charrettes et les fourmis qui gravissaient en tremblotant les troncs poreux, jusqu'aux araignées retenues par leurs pattes de sauterelles au centre de toiles de quatre mètres dont les fils recueillaient le jour qui traînait encore auprès du sol, et apparaissaient de loin sur la confusion des formes, phosphorescentes et géométriques, dans une immobilité d'éternité. Seules, sur les mouvements de mollusque de la brousse, elles fixaient des figures qu'une trouble analogie reliait aux autres insectes, aux cancrelats, aux mouches, aux bêtes sans nom dont la tête sortait de la carapace au ras des mousses, à l'écœurante virulence d'une vie de microscope. (*VR*, 65-66)

La luxuriance et la précarité conjointes des formes laissent pressentir des existences-bulles, des incomplétudes, un tohu-bohu presque silencieux du monde des choses dans l'enchevêtrement général. Le trop-plein de vie se résout en un délire d'inachèvement — unissant l'univers de la décomposition à celui de la folie — d'où monte le « *murmure d'insectes sombres* » dont parle M. Foucault [42], d'où filtre le « *marmonnement du monde* », la voix mince et douloureuse — cri étouffé en glapissement — de ce qui ne naît que pour être détruit [43].

Comme chez son maître Goya, qu'il appelle « *notre plus grand poète du sang* » (*S*, 110), la cruauté chez Malraux joue un rôle de premier plan, ce dont il ne faut pas s'étonner puisque, si on l'en croit, elle manifeste « *l'expression péremptoire de la mort métaphysique* » (*S*, 111). L'espace de la cruauté c'est celui où « *l'espoir même [devient] une forme de douleur* » (*TM*, 91), c'est celui du démoniaque, par conséquent, où ricanement et blessure s'ouvrent sur une seule et même béance, tendent — scandaleusement — vers un domaine de la déchirure matricielle, « *vers un sacré antérieur* [à Dieu] *et sans salut, vers l'éternel Saturne* » (*S*, 89), là où, sous l'apparence humaine, transparaît la bête, ruisselante encore du contact de la Nuit primordiale dont elle est issue. Chacun connaît, par ailleurs, la manie de Kassner (et celle de Malraux) « *de retrouver dans chaque visage une tête d'animal* » (*TM*, 115) [44].

Toute attitude fondamentale recherche le lieu du passage,

le moment de la métamorphose de l'être. On comprend mieux
à présent pourquoi l'image des insectes a eu, dès l'origine,
dans l'œuvre que nous étudions, un extraordinaire pouvoir
de fascination : pour l'œil avide de l'auteur des *Voix du
silence*, les insectes (et autres crustacés et coquillages...)
représentent ce paradoxe d'être aussi proches qu'il se peut
de l'Informe, de l'Inanimé et, en même temps, de se donner
à nous sous l'aspect de la stylisation la plus achevée qu'on
puisse concevoir dans notre univers : la géométrie de leurs
pattes, pinces, aiguillons, articles, nous renvoie à un excès
de lignes, à une symétrie pullulante, à une homothétie « en
abyme », qui débouche sur la terreur (qu'éprouvent si commu-
nément les prisonniers) de ressemblances sans fin.

La présence cancéreuse des insectes fait la trame du
Royaume Farfelu :

> Tout à coup comprenant à la fois la terreur des animaux
> et la signification de cette large tache qui s'avançait vers nous,
> hors de moi je hurlai : « Les scorpions ! les scorpions ! »... En
> quelques minutes, ce mot, et la vue de l'immense nappe frangée
> de pinces nous soulevèrent d'une telle épouvante que l'armée se
> décomposa. [45]

Il n'y a plus à s'étonner alors si la Reine de ce Royaume,
fourmi, guêpe, termite... emprunte son vêtement à ses plus
sinistres sujets :

> La salle où se tenait la Mort avait pour murs d'immenses
> miroirs qui reproduisaient à l'infini les meubles placés entre eux.
> Ces meubles ressemblaient à des coussins roux... Parmi eux, la
> Majesté apparaissait comme un gros insecte. [46]

On se tromperait cependant si cette accumulation
d'images d'épouvante et de malheur conduisait à penser que
Malraux est un « naturaliste ». L'auteur des *Conquérants*

n'est pas un disciple de Zola. La preuve, c'est encore dans Pascal, qu'à travers lui, il faut la chercher : la conscience extrême de sa misère donne brusquement à l'homme le sentiment qu'il est plus grand que ce qui le brise. Il y a un refus d'avilissement caractéristique chez Malraux, de sorte qu'on pourrait dire de ses personnages principaux : d'autant plus torturés, d'autant plus grands ! La Mort finit par appeler l'héroïsme. C'est là que réside ce qu'on pourrait audacieusement nommer son « futur », ici-bas, sur la terre.

Par l'ex-stase (laquelle n'est pas la fascination, enroulée sur elle-même du fait de la peur, mais le développement et la projection d'une sorte d'illumination déliante) qui surgit parfois de l'épreuve même que l'on en fait, la présence de la Mort pro-meut le Temps jusqu'ici replié sur soi, dans la concentration d'une épouvante ontologique, à la dimension éthique du futur. L'humain se rapatrie en l'animal, le cœur bat plus fort : enthousiasme, charité, tendresse... se dévoilent.

Gisant sur le sol de son cachot, Kassner entend soudain le chant d'un garde qui réveille en lui des souvenirs musicaux :

[...] Bach et Beethoven. Sa mémoire en était pleine. La musique avec lenteur, repoussait la folie de sa poitrine, de ses bras, de ses doigts, du cachot [...] les sons imaginaires retrouvaient les émotions de l'amour et de l'enfance, celles qui mettent tout l'homme dans sa gorge : cri, sanglot, panique ; dans le silence autour de Kassner comme l'attente de l'orage, sur sa servitude et sa folie, sur sa femme morte, sur son enfant mort, sur ses amis morts, sur tout le peuple de l'angoisse, se levaient sourdement la joie et la douleur des hommes. (*TM*, 51-52)

Il faudrait citer plus longuement la merveilleuse suite d'images que Malraux développe ici : peu à peu, on sent se gonfler comme dans l'« Hymne à la Joie » de la 9e *Symphonie* le chant dionysiaque qui élève la misère au-dessus d'elle-même [47].

Katow, dans *La Condition humaine*, donne son cyanure à ses deux compagnons de prison. L'officier qui vient chercher les prisonniers s'aperçoit que les jeunes sont déjà morts. Il hésite avant de demander à Katow : « *Et vous ? — Il n'y en avait que pour deux, répondit Katow avec une joie profonde.* » (*Romans*, 410).

Ainsi que Malraux le fera dire à l'un de ses héros de *L'Espoir* : « *il y a une fraternité qui ne se trouve que de l'autre côté de la mort.* » (*Romans*, 743).

Mais dans son œuvre il y a aussi une charité latente qui affleure, non seulement sous les rudesses de l'amitié virile, mais encore dans la tendresse extrême qui est celle de la maternité blessée. Quelques-uns ont pu dire, sans rire, que la femme était absente de l'univers malrucien. Qu'ils relisent donc *L'Espoir*. Du tumulte de la destruction, de la rage des incendies, de la violence acharnée des corps à corps, s'élève peu à peu, profonde et exemplaire comme une composition de Michel-Ange, le souvenir de la première, de l'unique Pietà.

L'épisode de la descente des aviateurs qui clôt presque ce livre en trois journées, comme la Descente de la Croix précède tout juste la Résurrection, nous montre une vieille femme aux cheveux couverts d'un mouchoir noir qui « *depuis quelques minutes [...] suivait la civière, avec le désir brouillon d'être utile, mais aussi avec une tendresse délicate et précise de gestes, une façon de caler les épaules chaque fois que les porteurs, dans une descente très raide, devaient assurer leurs pieds, où Magnin reconnaissait l'éternelle maternité* » (*Romans*, 833).

On comprend soudain que ce qui fait de *L'Espoir*

le chef-d'œuvre de Malraux, c'est cet éclairage de Vendredi saint qui s'annonçait déjà obscurément dans les premiers romans. Si nous rouvrons *Les Conquérants*, nous nous trouvons face à face avec le corps supplicié de Klein que sa femme vient de reconnaître, debout parmi d'autres cadavres, dans une pose et un silence que Malraux qualifie de « *surréels* ».

Tout son corps tremble... Et, d'un coup, comme elle est tombée à genoux tout à l'heure, elle saisit à pleins bras le corps ; l'étreinte est convulsive ; elle remue la tête avec un mouvement incroyablement douloureux de tout le buste... Avec une terrible tendresse elle frotte son visage, sauvagement, sans un sanglot, contre la toile sanglante, contre les plaies... (*Romans*, 137)

L'image de la Pietà, on la rencontre jusque dans les discours de Malraux, en particulier à la fin de l'hommage qu'en 1963 il rendait à Georges Braque.

Tous ces tableaux que la proximité de la Mort gonfle de sève fraternelle restituent l'univers moyenâgeux des *gisants,* comme la lente et longue procession des peines, des folies, du démoniaque faisait revivre les deux autres grandes obsessions de l'imagerie médiévale : la *danse macabre* et le *transi.* Trinité funéraire.

Le macabre s'élève à une sorte de perfection dans l'anonymat qui lui confère la force inéluctable d'une fatalité.

Le destin guidait les bombes incendiaires. Elles éclatèrent à droite et à gauche, en chapelets [...] Cette mort qui descendait *au hasard* faisait horreur à Shade. (*Romans*, 728)

Comme l'a si bien dit Rachel Bespaloff dans un article d'une grande perspicacité (il date en effet des années 34 et demeure « en avant » de tout ce que la critique a pu écrire sur l'auteur de *La Condition humaine* depuis cette époque) :

Les romans de Malraux se déroulent tous dans l'espace rigoureusement clos de la scène tragique. Tout converge vers l'instant où l'imminence du péril devient insoutenable, où l'exaltation furieuse de l'homme qui va s'écraser contre sa fatalité atteint sa limite extrême. [48]

Est-ce à dire que tout est terminé, que l'homme n'a qu'à s'abandonner ? Non bien sûr. Assumant l'expérience de la Mort, et la transformant ainsi en une épreuve, l'individu se personnalise en elle.

II

L'EPREUVE DE LA MORT

« *Son courage avait pris la forme de la mort.* » (*Les Conquérants*)

L A Mort non seulement s'étale sous nos yeux, objet d'horreur et d'effroi, mais encore elle s'empare de nos vies qu'elle transforme comme ces squelettes qui, sur les murs des cimetières de la fin du moyen âge, obligent les vivants à entrer dans le branle universel. Nous sommes à proprement parler *transis* par elle.

[...] la... tragédie de la mort [*écrit Malraux dans* L'Espoir] est en ceci qu'elle transforme la vie en destin, qu'à partir d'elle rien ne peut plus être compensé. Et que — même pour un athée — là est l'extrême gravité de l'instant de la mort. (*Romans*, 646) [49]

Hong, dans *Les Conquérants*, éprouvait lui aussi « *la crainte profonde et constante de gâcher cette vie qui était la sienne et dont il ne pourrait jamais rien effacer* » (*Romans*, 26).

Quant à Perken, il prononce ces paroles :

« Vous ne soupçonnez pas, ce que c'est d'être prisonnier de

sa propre vie [...] la certitude que vous serez cela et pas autre chose, que vous *aurez été* cela et pas autre chose, que ce que vous n'avez pas eu, vous ne l'aurez jamais. » (*VR*, 58-59)

On reconnaît là le thème — si souvent développé depuis Malraux — de l'absurdité d'une existence [50] qui débouche sur le Néant, puisqu'en l'absence de croyance religieuse, il ne saurait y avoir de justification *post-mortem*, et que cette absence projette sur la précarité de ce qui vit la lueur du dérisoire. L'homme devient le jouet du sort :

Maintenant aussi, la mort était autour de lui jusqu'à l'horizon comme l'air tremblant. Rien ne donnerait jamais un sens à sa vie... Il y avait des hommes sur la terre, et ils croyaient à leurs passions, à leurs douleurs, à leur existence : insectes sous les feuilles, multitudes sous la voûte de la mort. (*VR*, 180)

Mais à y regarder de plus près, on s'aperçoit qu'il faut faire une distinction entre le Néant et le Rien dont parle Perken, en proie à la fièvre. L'absurdité dont il s'agit ici est plus dostoïevskienne que sartrienne. Claude Vanec veillant son ami à l'agonie appelle des dieux (non pour s'e consoler), mais pour les insulter.

Ah ! qu'il en existât, pour pouvoir, aux prix des peines éternelles, hurler, comme ces chiens, qu'aucune pensée divine, qu'aucune récompense future, que rien ne pouvait justifier la fin d'une existence humaine. (*VR*, 182)

Le Sacré habite les héros malruciens jusque dans le besoin de sacrilège. Enigme : telle est la Mort, pesante, inacceptable et souveraine. Sa présence ravivée maintient l'accusation qui fait le fond de la condition humaine, le cri de la créature face à l'Incompréhensible. On songe également à la nouvelle de Tolstoï intitulée *La Mort d'Ivan Ilitch.*

Ivan Ilitch apprenant qu'il est atteint d'une maladie indéfinie, qui a toutes les apparences du cancer[51], se trouve brusquement seul, face à face avec son destin. Toutes les petites choses de l'existence qui faisaient son tracas quotidien, et auxquelles il avait fini par s'attacher, perdent soudain pour lui leur sens ; les autres lui apparaissent alors tels qu'ils sont, éclairés par la lumière impitoyable qui marque l'approche de la Mort : des hypocrites seulement préoccupés d'eux-mêmes. Ce qui accentue le tragique de cette situation où se dévoile la solitude de l'homme qui sait qu'il est condamné à mort, c'est qu'il a le sentiment que sa vie a été mal remplie et que, désormais, il n'existe plus aucun moyen de changer son passé.

Face à la menace des gaz, sur le champ de bataille des *Noyers de l'Altenburg*, Vincent Berger est visité soudain de la même certitude effrayante.

En une seconde ravagée s'enchevêtrèrent la chambre de Reichbach et son avenue verte, la voix du professeur bourdonnante sous les étoiles de Bolgako ! [...] Mais qu'est-ce que l'homme venait donc foutre sur la terre ! O flamboyante absurdité ! La douleur lui traversait la cuisse jusqu'au ventre chaque fois que son pied droit portait sur le sol ; il courait, courait [...] possédé d'une évidence fulgurante [...] le sens de la vie était le bonheur, et il s'était occupé, crétin ! d'autre chose que d'être heureux ! Scrupules, dignité, pitié, pensée n'étaient qu'une monstrueuse imposture, que les appeaux d'une puissance sinistre dont on devait entendre au dernier instant le rire insultant. Dans cette dévalade farouche sous le poing de la mort, il ne lui restait qu'une haine hagarde contre tout ce qui l'avait empêché d'être heureux. (*NA*, 244-5)

Sartre plus hégélien que Malraux (lui-même plus proche de Kierkegaard) après avoir noté que la mort frappe toute

existence de contingence, la met finalement entre parenthèses. N'a-t-on pas défini son système une « *métaphysique de la vie* » ? Alors que nous définirions volontiers, nous l'avons dit, la méditation de Malraux comme une « ontologie de la Mort ».

D'où l'importance de la remarque faite par Hernandez dans *L'Espoir* : « [...] *même pour un athée — là est l'extrême gravité de l'instant de la mort.* » (*Romans*, 646).

La Mort conserve tout son poids. Et au lieu de s'effacer dans une temporalité dialectisée, elle exige le tragique de l'Instant.

La passivité en face d'elle est une fuite et inversement.

Toutes deux consistent à essayer de « se divertir » — au sens pascalien — de la Mort. Et pour cela à diluer l'instant. Croyant échapper à la Mort, Clappique s'y abandonne en fait : transformé en pantin, condamné à la répétition des mêmes gestes usés, il semble appartenir depuis toujours au monde léthéen des créatures évanescentes.

A partir de là, on comprend mieux la signification de l'aventure chez les premiers héros malruciens.

A d'autres de confondre l'abandon au hasard et cette harce-lante préméditation de l'inconnu. Arracher ses propres images au monde stagnant qui les possède... Ce qu'ils appellent l'aven-ture [...] n'est pas une fuite, c'est une CHASSE. (*VR*, 37)

Autrement dit une quête. Celle de l'homme à la recherche de lui-même, ou plutôt à la recherche de son ombre, c'est-à-dire de ce qui donne du mystère, du poids, de la gravité, à son existence.

L'aventure, c'est ce qui convertit au sérieux de l'Instant, ce qui permet à l'individu d'aller au devant de sa Mort, d'exister près d'elle, de la contraindre, pour ainsi dire, à un combat singulier. Laissons parler Rachel Bespaloff :

L'aventure est le lieu où [l'être du conquérant] se ramasse devant l'imprévisible, où ses sentiments maîtrisés se transforment en pouvoir. Il y transporte une solitude que le combat préserve de moisissure. La passion de l'épreuve forme ici le ressort d'un drame dont la réalité même est le théâtre.[32]

De ce point de vue, il paraît bon d'insister encore une fois sur la continuité de l'œuvre : de Garine à Vincent Berger, le héros de Malraux — et ni Tchen, ni Kyo n'y échappent — est en quête de la Mort. Il la constate d'abord, puis il la cherche. Il n'est pas jusqu'au vieil Alvear qui, lors de son entretien avec Scali, ne manifeste une attitude voisine : « *Il y a* [dit-il] *un sentiment très profond à l'égard de la mort, que nul n'a plus exprimé depuis la Renaissance...* [...] — *Quel sentiment ? — La curiosité...* » (*Romans*, 702).

Croisade de l'homme à la recherche de la vérité de sa mort (qui se confond d'ailleurs avec la conquête du courage), c'est-à-dire, comme nous le verrons, de la vérité tout court[33].

Ainsi l'œuvre de Malraux se présente comme une tentative pour mettre à jour la « *structure de l'aventure humaine* » (*NA*, 109).

Le privilège accordé à l'Instant ne doit toutefois pas nous égarer. Le besoin de se posséder comme une fatalité ouverte sur la Mort repose sur le refus de la dislocation, de l'abandon au temps, et non pas — comme le laisse croire Sartre dans la préface qu'il donne au *Portrait de l'Aventurier* de R. Stéphane — sur une fascination poseuse qui réduirait l'attitude du héros à un esthétisme de la gloire. Ecoutons Sartre :

La gloire : voilà le mot. Ce n'est pas dans la fraternité, où l'on abandonne toujours un peu de soi-même à l'autre, qu'ils cherchent la communication, mais dans la gloire, où l'on existe pour tous sans rien retrancher de soi. Le moment de la mort sera le sommet de leur vie, ils l'attendent « avec extase ». Dans cet instant infinitésimal, encore vivants et déjà morts, ils se sentiront devenir pour les autres ce qu'ils étaient pour eux-mêmes. [54]

Malraux n'est pas Montherlant. Et Katow répond pour lui à Sartre. Perken même : « *Ce n'est pas pour mourir que je pense à ma mort, c'est pour vivre.* » (*VR*, 109).

La joie extatique que Tchen éprouve à mourir vient de ce qu'il appréhende dans l'instant final un pouvoir unifiant : au-delà de lui-même, il existe enfin auprès de l'absolument Autre [55] (c'est le sens même de l'ex-stase) et non pas d'abord pour le regard des autres.

L'exaltation en face de la Mort donne l'homme tout entier à la simplicité d'une seule idée, ce qui, si l'on en croit Kierkegaard, est une forme de pureté. En même temps qu'elle sert de révélateur (à l'authenticité du courage), elle donne à celui qui en éprouve la proximité une sorte de pouvoir électrisant. La lutte avec l'Ange de la Mort [56] conditionne la profondeur d'une vie. C'est sans doute la raison pour laquelle Malraux a jugé bon de préciser, en marge de la remarque de G. Picon le rapprochant de Heidegger (« *pour Malraux comme pour Heidegger, l'homme est un "être-pour-la-mort"* ») : « *Et si, au lieu de dire* pour, *on disait* contre *?* » [57].

Se surmonter, s'alléger, s'élever face à la Mort revient, par un mouvement de balancier que connaît bien le danseur de corde de Nietzsche, à aggraver la vie, en lui donnant tout son poids de sérieux. Aussi peut-on dire que la remarque de Malraux n'infirme pas le « *Sein-zum-Tode* ». L'homme vit *en vue de* la Mort, dans un horizon qui, pour ainsi dire, transcende le *pour* et le *contre* et fait éclore l'individu à sa liberté la plus essentielle.

P. de Boisdeffre va jusqu'à dire que, chez l'auteur des *Noyers de l'Altenburg*, « *la mort a pris la place de la Providence* » [58]. Ce qui n'est pas faux, dans la mesure où se produit chez lui un retournement capital, une sorte de révolution copernicienne. Car l'homme qui sait qu'il mourra, peut tirer de la connaissance de cette inéluctabilité la force de vivre d'une manière héroïque. Du fait que Dieu n'existe pas, la responsabilité de l'homme ne peut pas être prise en charge par autre chose que l'homme. Face à l'absurdité de l'Univers, deux solutions sont possibles : ou la démission dans le dérisoire (Clappique...) ou l'assomption, et dans ce cas, il s'agit d'une responsabilité accrue, car, répétons-le, elle repose entièrement sur soi.

Dans *L'Espoir*, Scali pose cette question : « *Qu'est-ce qu'un homme peut faire de mieux de sa vie ?* » Le commandant Garcia lui répond : « *Transformer en conscience une expérience aussi large que possible* [...] » (*Romans*, 764). Entre la question et la réponse surgit un bruit caractéristique : « *Une sonnerie d'ambulance approcha à toute vitesse, comme une sirène d'alerte, passa et s'éteignit.* » Le passage de l'expérience à la conscience consiste à intégrer de plus en plus le danger, la mort à sa propre existence ; la phrase en question va donc bien au-delà du pragmatisme facile ou d'un stoïcisme rationalisant : le mystère même de la Mort semble s'y découvrir. Elle apparaît désormais comme étant « *la face mystérieuse de la vie* ». Ce qui questionne l'homme et le rend questionnant [59].

Désormais, le héros malrucien, tel le Rilke des *Cahiers de Malte Laurids Brigge* ne parlera plus tellement de la Mort en général, que de *sa* mort à lui, en particulier. Comment être à la hauteur de sa mort ? Pareille question marque l'importance extrême des derniers instants. « [*Kyo*] *avait toujours pensé qu'il est beau de mourir de sa mort, d'une mort qui ressemble à sa vie.* » (*Romans*, 405).

Le grand-père du narrateur des *Noyers de l'Altenburg* éprouve exactement les mêmes sentiments (*NA*, 90).

Par là, la mort est à la fois la forme suprême de la liberté et sa condition première puisqu'elle la fait pressentir : si bien que la vie, dans ses instants privilégiés, tire sa fraîcheur de la mort surmontée comme l'art tire sa profondeur de la mort « devinée » [60] :

> Par une de ces chimies dont Malraux ne nous donne pas la clef [écrit E. Mounier] cette chose absurde, que la vie nie en vain, peu à peu fascine la vie au point qu'elle apparaît au sens propre comme un sacrement de vie. [61]

L'espèce de purification et de communion avec le Simple qu'entraîne l'épreuve de la mort, Kassner nous en fournit un exemple, lorsque, quittant sa prison d'Allemagne et venant d'échapper à un violent ouragan, il éprouve le sentiment d'« un apaisement immense [qui] semblait baigner la terre retrouvée, les champs et les vignes, les maisons, les arbres pleins peut-être d'oiseaux endormis » (TM, 146).

Dans Les Noyers de l'Altenburg, l'épisode final produit la même impression. L'équipage du char d'assaut réussit à échapper au piège dans lequel la machine était tombée. Les hommes qui composent cet équipage sentent alors une exaltation comparable à celle des enfants qui découvrent les objets du monde pour la première fois. Les enfants ou Dieu. « Ainsi, peut-être, Dieu regarda le premier homme... » (NA, 292), écrit Malraux.

Le jour se lève, révélant sa splendeur. De quoi donc est faite cette splendeur ? D'une immense simplicité : ces hommes entrent dans un village silencieux, abandonné sauf par un couple de vieux paysans qui n'a pas fui devant l'ennemi. Les ustensiles les plus communs : arrosoir, balai, épingles à linge, les animaux : chiens, pigeons et, bien entendu, chats (« je me sens stupéfait qu'existe cette four-

rure convulsive... »), les deux vieillards, sont toute la vie. Et pourtant la terre « *ressuscite* » et « *frémit* ».

L'éclosion silencieuse de pommes cézaniennes au milieu du paysage désolé de la Sierra dans *L'Espoir*, la résurgence du visage humain, qui se profile soudain sur la pierre du mur paysan dans les *Noyers*, l'une et l'autre témoignent sous le regard, dessillé par l'épreuve, de l'existence enfin devenue évidente. Et du dialogue qui n'a jamais cessé, qui ne cessera jamais avec la Mort, semble naître, sur le visage usé de la vieille femme, le pur sourire, parfaitement jeune, apollinien, de l'inépuisable patience à surmonter le Temps :

Accotée au cosmos comme une pierre... Elle sourit pourtant, d'un lent sourire retardataire, réfléchi : par-delà un terrain de football aux buts solitaires, par-delà les tourelles des chars brillants de rosée comme les buissons qui les camouflent, elle semble regarder au loin la mort avec indulgence, et même — ô clignement mystérieux, ombre aiguë du coin des paupières — avec ironie... (*NA*, 291)

Que l'initiation violente culmine en ce sourire, pareil aboutissement nous dit alors combien la Mesure au sens grec[62] habite cette œuvre de la démesure et lui donne sa vraie dimension qui est une dimension orphique.

« *Je sais maintenant* », chante Malraux, « *ce que signifient les mythes antiques des êtres arrachés aux morts* » (*NA*, 292).

S'il est vrai, comme le proclame la célèbre préface à *Sanctuaire*, qu' « *il y a un Destin dressé unique derrière tous ces êtres différents et semblables* [les personnages de Faulkner], *comme la mort derrière une salle des incurables* », il est vrai également que la Grande Pourvoyeuse, comparable en cela à l'ombre qui fait varier la lumière d'un tableau en fonction des proportions selon lesquelles on la marie avec elle, fait surgir différentes nuances de vie.

De Tchen à Clappique, en passant par Kyo et Gisors, il y a toute une échelle d'existences dans *La Condition humaine*, dont les nuances sont liées, pour ainsi dire, au degré de sérieux avec lequel se trouve considérée la Mort.

Tchen, Kyo, se personnalisent dans leurs actes révolutionnaires et leur mort parle haut pour eux, tandis que Clappique cherche à s'anéantir dans l'alcool et Gisors à oublier dans l'opium. Ces deux derniers tentent de nier la mort plutôt que de l'affronter. D'où la brume, le flou qui finit par les envelopper, exemple de dérision en ce qui concerne le premier, de renonciation en ce qui concerne le second.

Les critiques marxistes l'ont bien vu : faisons disparaître l'obsession de la mort — ce qui est un des buts du positivisme scientifique et du matérialisme politique — et le monde de Malraux risque de s'effondrer. Reste à savoir si les progrès de la science ou de la dialectique permettront jamais d'atteindre ce but. Faut-il préciser que Malraux n'y croit absolument pas. Il dit seulement, et ce dans son discours de 1946 à l'U.N.E.S.C.O. : « *En ce qui concerne les sciences, Bikini répond.* » [63].

Dans sa sécheresse, cette réponse dit bien ce qu'elle veut dire. Au lieu de faire disparaître l'obsession de la mort, la création scientifique n'a fait que l'accroître comme, par ailleurs, ne font qu'en accroître l'horreur les suaves entreprises d'embaumement et de climatisation qui se pratiquent outre-Atlantique.

Reprenant la leçon des toutes premières œuvres de Malraux et, en particulier, de *Lunes en Papier* où l'obsession de la mort s'enfanfreluche de féerie burlesque, A. Vandegans a pu écrire avec justesse :

Le monde est le règne de la malice, de la cruauté, de l'absurde, du combat toujours renouvelé contre les forces ennemies. Il est dominé par la Mort. La banalité de l'univers, l'ennui qu'il engendre sont si insupportables qu'on peut imaginer que la Mort elle-même s'en lasse, au point d'accepter allègrement de disparaître. Si pourtant ses sujets réalisaient leur vœu suprême de puissance, qui est de la détruire, le sens de leur entreprise leur échapperait aussitôt. Car le comble de l'absurde est que sa suppression entraîne l'écroulement de cela seul qui conférait une finalité à la vie : la volonté de le réduire. [64]

III

MORT ET METAPHORE

> « Ce qui m'intéresse... c'est la décomposition,
> la transformation de ces œuvres, leur vie
> la plus profonde, qui est faite de la mort
> des hommes. »
>
> (*La Voie royale*)

PARLANT de la force d'invention de Goya, Malraux écrit qu'« *elle attaque l'ordre du monde au bénéfice du mystère* » (*S*, 150). Phrase riche de sens, non seulement en ce qui concerne le peintre, mais encore l'écrivain lui-même [65]. Elle met à jour en effet un double mouvement de contestation et d'approfondissement, comparable en cela à la révolte métaphysique, latente dans la tragédie grecque, ou à l'ironie des Romantiques allemands, l'une et l'autre s'attaquant au réel apparent au nom d'un Réel (qui peut prendre les allures du Rêve) plus fondamental. Ce double mouvement conditionne l'existence d'un authentique espace de jeu dramatique entre l'apparence multi-faces et l'apparition, qu'escamote fatalement un art voué à la « *représentation* », non à la « *révélation* » comme celui de Goya. Malraux définira l'apparition comme du « *fantastique capté* » (*S*, 104) au niveau de l'irrémédiable. Son œuvre, comme celle du peintre espagnol, est une poésie du Destin surgissant.

Il semble bien que l'unité de sa démarche s'abouche à la triple proposition qui suit :

1) Vouloir se dépasser dans l'Instant, conduit à s'interroger sur la force de dépassement qui est à l'œuvre dans ce projet même, force qui dépasse donc l'Instant, le transcende à proprement parler.

2) La prose du projet qui revient sur elle-même en un rythme obsessionnel « s'en-chante » de la répétition dans l'Instant : la prose se dévoile alors, en son fond, comme action de la poésie.

3) L'enjeu créateur consiste à faire parler ce qui se tait dans la représentation figée, la voix de la finitude agissante (« *Il y a en nous une faille tantôt éclatante et tantôt secrète, qu'aucun dieu ne protège toujours* », écrit Malraux (*VS*, 628), qui ajoute un peu plus loin, et comme pour commenter : « *La voix de l'artiste tire sa force de ce qu'elle naît d'une solitude...* ». Autrement dit d'une différence [66] : « *Mais cette voix survivante et non pas immortelle, élève son chant sacré sur l'intarissable orchestre de la mort.* »). C'est donc dans l'espace ouvert par la Mort que toute parole devient possible.

Dès ses toutes premières œuvres, Malraux attaque l'« ordre du monde », celui d'une civilisation bourgeoise qui ne croit — déjà — plus à ses propres valeurs : la création, nous l'avons vu, paraît s'y défaire en diverses séries d'« inexistences », d'où le sentiment de dépaysement farfelu qui y règne. Mais ces inexistences qui naissent l'une de l'autre développent, en même temps, un univers exubérant de déchets d'idoles, ersatz d'un monde de formes enveloppantes, enlaçantes, restes évanescents du Sacré qui se donne encore — ironiquement — sur le mode du dérisoire. Le bizarre vise chez Malraux à réintroduire le mystère dans un monde que le rationalisme triomphant voue à la certitude ennuyeuse de l'académisme, ou à l'exploitation — par repliement sur soi —

de la contemplation narcissique.

La volonté de dépaysement dans l'exubérance — qui accompagnera sa recherche du fondamental — poussera Malraux vers les pays d'Orient, comme si l'Etre qui donnait vie aux formes originales dût pour lui s'y révéler. L'écrivain se met en quête de ses propres formes (celles qu'il a en lui, mais qu'il ignore encore) à travers ses multiples expériences. Comme il le fait dire à A.D. dès le début de *La Tentation de l'Occident* — et il convient sans doute de voir là un signe : « *Les hommes, capturant une à une les formes et les enfermant dans des livres ont préparé les mouvements de mon esprit.* » (*TO*, 15).

Les premiers écrits de Malraux appellent eux aussi ses voyages. Faisant plus tard la critique du livre de H. Massis, *Défense de l'Occident*, et par la même d'une culture fixiste, seulement préoccupée de se survivre à elle-même, il notera dans la *Nouvelle Revue Française* du 1er février 1927 : « [...] *l'Orient nous aide à nous délivrer d'un certain académisme de l'esprit.* » [67].

Faire l'expérience de l'Extrême-Orient, c'est se trouver, en quelque sorte, au niveau du soubassement de la diffusion des formes et de leur reconstitution. Le sens de l'aventure orientale n'était-il pas, à l'origine, pour Malraux, de saisir le jeu du multiple se détachant sur l'obscur fond de l'Etre, comme le peuple des singes se détache sur la forêt tropicale et sur la pierre des temples, pleurant une métamorphose interrompue : celle qui les eût fait hommes [68] ?

L'aventure chez l'écrivain a représenté le premier temps d'une ascèse. D'où son intérêt pour la spiritualité orientale selon laquelle « *la mort donne un sens à la vie* » (*A*, 293). C'est ce qui ressort très fortement de *La Tentation de l'Occident* : la mort orientale y est montrée comme ayant un rapport plus profond, plus intrinsèque à l'existence, que la mort occidentale : « *Chacun de nous* [écrit Ling] *vénère ses morts, et les morts, comme les symboles d'une force qui nous enveloppe et qui est l'un des modes de la vie* [...] *elle nous domine et nous modèle sans que nous puissions la saisir. Nous sommes pénétrés par elle* [...] *Le temps est ce que vous le faites, et nous ce qu'il nous fait.* » (*TO*, 45).

Ling précisera, par la suite :

La vie est le domaine infini des possibles. [69] L'idole à plusieurs bras, la danse de mort, ne sont point des *allégories* du monde en perpétuelle transformation. Ce sont des êtres imprégnés d'une vie inhumaine, *qui a rendu nécessaires ces bras*. Il faut les contempler, comme vous contemplez les crustacés géants que les filets rapportent des grandes profondeurs. (*TO*, 147)

Parvenu très tôt au cœur de l'interrogation sur l'énigme de la mort, Malraux exprimera beaucoup plus tard ce qui dès lors l'avait si fortement ébranlé, c'est-à-dire mis en mouvement.

Les cent dix pages des *Antimémoires* qui portent le titre de « Tentation de l'Occident » sont un hymne à la fascination qu'exerça sur lui, dès sa jeunesse, l'Inde.

Je venais de retrouver l'une des plus profondes et des plus complexes rencontres de ma jeunesse. Plus que celle de l'Amérique préhispanique [...] Plus que celle de l'Islam et du Japon, parce que l'Inde [...] déploie plus largement les ailes nocturnes de l'homme ; plus que celle de l'Afrique [...] Loin de nous dans le rêve et dans le temps, l'Inde appartient à l'Ancien Orient de notre âme. (*A*, 291)

L'Inde, ce « *jardin de la mort* » où « *je n'ai pas vu une figure qui ne guide l'homme vers l'inconnu divin* » (*A*, 368-9).

Au centre de cette fascination, la figure de Çiva [70], « *le symbole de l'Inde* », dont le nom réapparaît trente fois en

trente pages, accolé en torsade à celui de la mort (et l'obsession du Gange purificateur à Bénarès, « *Grand Canal funèbre
et hanté* », *A*, 264), Çiva, dieu de la destruction, mais aussi
de la régénération et de la continuité, dieu des métamor-
phoses que Malraux rapproche des Mères gœthéennes, Çiva
« *lève solennellement ses bras multiples pour danser le retour
à l'éternelle origine* » (*A*, 278).

On comprend comment la magie de l'imagination chez
Malraux se nourrira du chant dédié à Çiva :

> Puisque tu aimes, Çiva, le Lieu d'incinération,
> J'ai fait de mon cœur un Lieu d'incinération,
> — Afin que tu y danses ta danse éternelle. (*A*, 278)

Car le travail de Çiva, moulin de la Mort au service de
l'abîme du divin, c'est aussi ce travail en creux, cette « *ger-
mination dans l'ombre* », qui « *accorde* » la vie à la mort,
le visage des vieux paysans flamands au Cosmos, dans *Les
Noyers de l'Altenburg*. C'est lui qui autorise toute métamorphose, laquelle transposée dans le langage de l'artiste
s'appelle image et métaphore naissantes, ces figures où la
finitude s'essaie à nommer le monde. « *Nous avons reconnu
l'identité de la* comparution *et de la* comparaison » écrira
un critique contemporain [71], ou, comme le veut Malraux, de
la révélation :

> Sans doute, toute civilisation est-elle hantée, visiblement
> ou invisiblement, par ce qu'elle pense de la mort. La vérité de
> la mort, domaine de l'invérifiable, ne peut être que l'objet d'une
> révélation. Mais cette révélation, c'est la relation de l'Inde et du
> monde, dans sa totalité. (*A*, 266)

Révélation, relation, totalité : trois termes essentiels. La
révélation en question naît d'un rapport de la partie au tout,

non pas entendu au sens mathématique, mais comparable au surgissement de la vérité cachée du *Grund* qui vient jouer dans l'apparence qu'il pénètre, informe, détruit, tour à tour. L'espace de figuration de l'Occident naît, comme le jour de la nuit, d'un combat au sein de la flamme mortelle où se résoud toute apparition, surgie des profondeurs de l'abîme inconnaissable. L'Orient matriciel se donne ici comme le *Grund* du Monde. Et l'Occident, dès lors, comme le lieu de son jeu, tragique, car détaché sur fond d'Inconnaissable. La forme va se nourrir de l'énigme qui, à son tour, l'engloutit, préparant l'avènement d'une forme nouvelle, et ainsi de suite ; le jeu du Monde est une dévorante succession créatrice, d'où son mystère sans fin [72].

« [*L'ardeur*] *qui vous brûle crée* », écrira Ling à A.D. (*TO*, 64).

Pour dialoguer avec les autres hommes, l'artiste est obligé d'emprunter la voix de ce qui n'est pas lui (Cosmos), c'est-à-dire de qui fatalement le nie. Pour peu qu'il soit grand, il entre, comme Goya, « *dans l'irrémédiable* », même si cet irrémédiable n'est pas celui de la folie.

Revenu en Europe, chargé du poids du Sacré de l'Orient, Malraux se retrouve dans un monde où les mythes de Communion se sont lentement évaporés : dans le silence de la divinité, ce qu'il cherche alors, c'est à faire naître une mémoire de la fraternité. Ensuite, à la faire durer. La Révolution, et plus fondamentalement, l'Art (que cette dernière fait éclore) vont fournir à celui qui se sent « *amputé de l'éternel* » (*A*, 229) [73], la possibilité d'une transfiguration de la misère commune.

« *Aucun dieu ne dansait dans le cœur de mes compagnons de char* » (*A*, 324), écrira Malraux dans les *Antimémoires*, se souvenant de l'épisode connu des *Noyers de l'Altenburg*.

Qu'était un Pradé hindou ? [...] Le vrai dialogue ne se fût pas établi entre la *Bhagavad Gîtâ* et l'*Evangile*, entre Eléphanta et Chartres, mais entre la *Majesté* dans l'ombre de la grotte et le visage de Pradé, bleuâtre, phosphorescent, transfiguré par la lune que l'épiscope renvoyait comme la lumière de la mort. (*A*, 322-23) [74]

L'Art sera l'aventure — encore et toujours —, l'aventure poignante de la transposition du Sacré. Seconde phase d'une *theoria* très particulière, mais d'une *theoria* tout de même, la redescente dans le quotidien (et le quotidien ne peut être que l'Occident pour Malraux) ne s'effectuera valablement que par l'expression artistique.

Or « *le seul moyen qu'ait l'art de tenter l'expression [du sacré], c'est de rétablir le contact avec tout ce qui ne fait de l'artiste qu'un passage : le sang, le mystère, la mort* » (*S*, 154).

Il y a un art de la déchirure [75], de « *l'éclair shakespea-rien* » (*A*, 159) chez Malraux qui fait surgir, dans leur vérité propre, ses personnages, mettant à jour leur « *masque véritable* », comme seule la mort le pourrait faire [76]. Cela va loin. Comme l'a bien vu A. Vandegans, Malraux utilisera sciemment cet art de la rupture pour tenter par

un certain traitement du réel [...] de rejoindre les éléments fondamentaux du monde. Par exemple, la mise en œuvre d'une fiction tragique sous une forme dramatique, sacrifiant partielle-ment le récit à la succession discontinue des scènes, est un moyen de ce rapprochement avec le sacré. Il va de soi, pour Malraux, que seul est capable de l'opérer un poète. [77]

Les cinquante-neuf scènes de *L'Espoir* répondent plei-nement à ce souci. L'on peut d'ailleurs se demander si Malraux dans ce roman n'a pas atteint le sommet de son œuvre. Outre les qualités propres, habituelles à l'écrivain de *La Condition humaine*, on trouve dans *L'Espoir* une sorte d'adéquation — par le haut — entre le romancier et le support de son sujet : l'Espagne. Les couleurs sang et or de cette dernière [78] — sans oublier le violet (ou le noir) pour le deuil —, son sens de la mort, sa recherche tourmentée de la forme qui en fait la patrie du baroque, tout cela, et peut-être un équilibre — final, pour ainsi dire : quasi exact — entre la Révolution et l'Art, font que l'on revient à cette œuvre comme à la pierre de touche de toutes les autres. D'autant plus que la lire à travers la grille exemplaire qu'est le *Saturne* (exemplaire quant aux schèmes communs au peintre et au poète...) paraît confirmer une rencontre passionnée entre cette terre si exceptionnellement tragique et le poète-romancier d'une lumière dissociée en grands pans d'ombre et en soudains éclats. A la lueur de l'enfer, Malraux a peint là son « Jardin des Délices ».

Le romancier [*écrit-il*] est si bien dominé par certains schèmes *initiaux* que ceux-ci modifient, parfois fondamentalement, les récits qu'ils n'ont pas suscités ; le sculpteur, le peintre, tentent d'accorder lignes, masses et couleurs à une architecture ou à un déchirement qui ne se révèle pleinement que par la suite de leurs œuvres. Pauvre poète qui n'entendrait pas cette voix, pauvre romancier pour qui le roman serait *seulement* un récit. (*VS*, 333)

Une lecture attentive de *L'Espoir* montre non seulement la présence obsédante du sang ici et là dans la plupart des scènes, mais encore la volonté, dans un grand nombre d'entre elles, organisées à la manière de tableaux, de faire du sang (ou de l'incendie) le rideau rouge sur lequel elles s'achèvent : le fond est celui de la tragédie grecque, la forme, celle du découpage cinématographique, le mouvement, celui des masses épiques, la poésie, celle des grands peintres. Le dessin appelle le destin. Echappant aux frivolités partisanes, le dessin rapatrie le « *Dasein* » vers la flamme originelle. Au-dessous de la pensée, déjà, parle le style :

Manuel admirait, et se sentait de nouveau artiste : ces statues contournées trouvaient dans l'incendie éteint une grandeur
barbare, comme si leur danse fût née ici des flammes, comme
si ce style fût devenu soudain celui de l'incendie même.
(*Romans*, 580)

Malraux répond donc par avance à l'interrogation de
M. Deguy : « *Il ne suffit pas que la mort hante ; comment
l'échanger en rythme, en style, c'est la question.* » [79].

Il arrive qu'à l'intérieur d'une scène, la tonalité rouge
crée, par elle-même, un appel de rythme, pour ainsi dire,
dans la répétition diversifiée — car elle s'adresse tour à tour
à l'ouïe, à la vue, à l'odorat — de ses vibrations :

Au fond du parc, les ROSSIGNOLS célèbres chantaient de leur
voix grave [...] Des drapeaux ROUGES aux lances des saints guerriers [...] Un faible parfum venait des ROSERAIES. (*Romans*, 661-62)

L'écho assourdi des vibrations du rouge se répercute
d'une scène à l'autre, et quelquefois, comme dans la Première
Section de la Deuxième Partie, intitulée « Etre et Faire »,
l'ouverture dialogue avec le postlude, enveloppant l'épopée,
dans la sombre élégie qui monte des beaux jardins pourrissants : c'est ainsi que le grand mouvement d'aigles blessés
de la résidence d'Aranjuez, dans la scène I, appelle le chant
final de la scène IX qui clôt la retraite vers Madrid.

Ebloui, un merle chante. Quelque part dans la brume, Kogan
qui saigne sur les feuilles mouillées, un coup de baïonnette dans
la cuisse, répond, pour les blessés et pour les morts. (*Romans*, 716)

Sur l'inéluctable toile de **fond** du sang et de l'incendie,
se projettent d'innombrables souvenirs hantés par **Tolède**
et le Prado, d'autres musées encore : cela commence par l'or
sacral des chasubles (*Romans*, 483) arrachées à l'ombre

byzantine des églises espagnoles ; et puis se continue par une
« *cave d'Inquisition* » à la **Magnasco**, où « *glissaient sur leurs
béquilles* [...] *ces ombres vêtues de pansements comme d'un
costume de mi-carême* [...] *: un royaume éternel de la blessure* » (*Romans*, 509) ; enfin, une étonnante nature morte :
chapeau de cardinal sur la tête de Shade, crucifixion, bribes
des collections ruinées du Musée de Santa-Cruz :

> Les assiettes et les carafes à col d'alambic réverbéraient
> comme des vers luisants les mille points de lumière des briques
> trouées, à travers l'énorme nature morte. Le long des branches
> brillaient les fruits, et les courtes lignes bleuâtres des canons
> des revolvers. (*Romans*, 604)

On fusille Hernandez dans un tableau de Goya, le *Tres
de Mayo* (*Romans*, 651). Guernica sort tout droit de Velas-
quez ; les Aveugles qui jouent sur leur accordéon *L'Interna-
tionale* dans des rues envahies par les grands chiens, cherchent leur peintre à travers Breughel et Goya (ils le trouve-
ront plus tard, mais au cinéma : mélange d'Eisenstein et de
Buñuel). Retiré, enfin, dans l'ombre de sa demeure, statue
impuissante du Commandeur : Alvear portraituré par le
Gréco...

L'art pour l'agnostique, c'est comme l'amour pour le
chrétien, quelque chose qui dépasse infiniment la contemplation béate : un pont sur le Néant, la métaphore sur l'abîme,
le vertige d'un approfondissement sans fin.

« *Ce qui nous intéresse, c'est la magie...* » écrivait,
en 1929, Malraux [80]. C'est-à-dire la possibilité de faire surgir de
la prise de possession du réel, des formes nouvelles.

> Le grand romancier est Balzac, non Henri Monnier. C'est la
> puissance transfiguratrice du réel, la qualité atteinte par cette
> transfiguration, qui font son talent. [81]

De même que Baudelaire pouvait parler de « *magie suggestive* », Malraux pourrait parler de « magie révélatrice ». Si l'on se rapporte aux différentes définitions de l'imagination données par le poète des *Fleurs du Mal*, on s'aperçoit que toutes postulent l'intrusion en l'homme, d'un pouvoir de métamorphose qui « *tente de substituer à la relation des choses entre elles — aux " lois de la vie " — une relation particulière* » [82]. Ce n'est qu'au prix de cette stylisation que l'image peut apparaître, que la métaphore peut « comparaître ». Dès lors que la finitude parle, l'imagination naît.

Perken, déjà, disait : « *L'imagination, quelle chose extraordinaire ! En soi-même, étrangère à soi-même... L'imagination...* » (*VR*, 8).

La parole, l'être, se nourrit d'elle : car, par elle nous vivons (dans la décomposition des formes) de la mort des dieux, et les dieux (par la métamorphose) vivent de la mort des hommes.

Ainsi que le souligne Maurice Blanchot : « *Dire de l'œuvre de Malraux qu'elle choisit le désespoir ou la mort ou la solitude n'a, c'est évident, que très peu de sens.* » [83].

En effet, elle ne choisit pas. Elle est bien plutôt choisie par une énigme qu'elle tente d'ausculter. Ce faisant, elle « installe » le mystère dans les choses, leur restituant une profondeur niée aujourd'hui par quelques-uns, Robbe-Grillet entre autres [84].

« *Un langage de destin ne peut être réduit à un langage de biographie traditionnelle* » répète Malraux. « *Mais* » ajoute-t-il, « *je ne suis pas assuré qu'il défie toute analyse* » [85].

C'est une semblable analyse que nous avons tenté ici d'ébaucher.

*
* *

La mort est donc cette grande distributrice d'ombres et de lumières qui impose un certain style à l'image, comme elle impose un certain style à l'action.

Pour caractériser l'ambiguïté de la Mort chez Malraux, il n'y a guère que l'image du Sphinx qui convienne. Elle est le Sphinx dont la suppression permettrait à la Cité de respirer. Mais aussi, c'est à partir d'elle que l'homme peut donner de lui-même la définition la plus haute, puisqu'elle l'oblige à vivre debout, dans un affrontement de tous les instants.

La Mort est ambiguë parce qu'elle est maîtresse d'absurdité et de sens en même temps. Bien avant Camus, Malraux a appliqué la notion d'absurde au domaine de la littérature.

Bien avant Sartre, il a fait de l'homme un être vraiment libre, puisque ne dépendant plus d'un dieu législateur ; un être capable d'authenticité mais aussi de mauvaise foi, selon qu'il accepte ou non d'assumer sa responsabilité. Il est vrai que les êtres « authentiques » l'emportent largement chez lui, alors que les « salauds » semblent les plus nombreux chez Sartre. Cela vient d'une différence de vision : tragique (ou héroïque) dans le premier cas, franchement pessimiste dans le second.

La prise de conscience est beaucoup plus « brûlante » chez Malraux que chez Sartre dont les créatures manquent définitivement de « panache » (Sartre y verrait d'ailleurs une nouvelle forme d'aliénation). Les créatures de Sartre sont « condamnées à leur liberté », donc finalement, malgré leur capacité de « dépassement » existentiel, à ramper dans le domaine de l'immanence ; c'est un monde larvaire qui connaît le plaisir, mais qui semble ignorer la joie.

Tandis que chez Malraux, face au sang, la liberté, créatrice des pires violences, peut l'être également des actions les plus sublimes, allant, pour l'individu, jusqu'au don de sa propre mort (exemple : Katow), ce qui, pour notre auteur, équivaut au don de la vie, forme la plus haute de l'amour pour saint Jean.

Le monde de Malraux — nous l'avons vu — connaît aussi la nausée, mais la volonté et l'imagination finissent par la transcender. C'est pourquoi sans doute l'univers de Sartre ressemble tant à un monde lassé, alors que celui de Malraux laisse filtrer d'irrésistibles courants de jeunesse.

La Mort rend plus jeune : elle vient toujours trop tôt. Précisément parce qu'elle est irrémédiable, elle « lave » autant qu'elle accuse. A celui qui sait qu'elle l'accompagne à tous les instants de la vie, elle donne un air d'intrépidité, comme au chevalier — si noble — de Dürer.

Comme le dit si bien Malraux par ailleurs : « *une vie ne vaut rien, mais rien ne vaut une vie* » (*Romans*, 143). Curieux aboutissement — n'est-il pas vrai ? — de cette ontologie de la Mort !

Cette pensée de la Mort, cette pensée interrogeante et qui vit — comme la première pensée grecque — d'un affrontement tragique n'a pas fini de susciter des énergies. Car, à la différence de la plupart des contemporains, Malraux demeure un maître d'énergie. Dans ses écrits sur l'Art, l'appel, l'attente et la recherche du Sacré, demeurent au premier plan. Il reste encore quelque chose à faire, nous dit Malraux : avoir de l'imagination. Hors de l'imagination il n'est point de salut. Mais en elle, le monde revit, l'homme ressuscite et Dieu même semble parfois au loin se profiler.

Malraux discoureur ? Non, Malraux poète ! Saluant à Brasilia, la même année que le « Discours d'Athènes », l'avènement de ce prodigieux poème de pierre au milieu des terres américaines, et ce dans le silence des beaux esprits ou de ceux qu'on appelle « engagés », les uns et les autres à court d'imagination sans doute, Malraux pouvait s'écrier,

car il résumait là — poète face à la poésie — le sens profond
de toute son œuvre :

> Chacune des grandes religions avait apporté une notion fon-
> damentale de l'homme, et notre temps s'efforce passionnément
> de donner forme au fantôme que leur a substitué le siècle des
> machines. D'autant plus passionnément qu'avec les camps d'exter-
> mination, avec la menace atomique, l'ombre de Satan a reparu
> sur le monde, en même temps qu'elle reparaissait dans l'homme :
> la psychanalyse redécouvre les démons pour les réintégrer en
> lui. Mais dans un monde sans clef, où le Mal devient une énigme
> fondamentale, le moindre sacrifice, le moindre chef-d'œuvre, le
> moindre acte de pitié ou d'héroïsme, posent une énigme aussi
> fascinante que celle du supplice de l'enfant innocent qui obsédait
> Dostoïevsky, que tous les pauvres yeux humains qui découvrirent
> une chambre à gaz avant de se fermer à jamais : l'existence de
> l'amour, de l'art ou de l'héroïsme n'est pas moins mystérieuse
> que celle du mal. Peut-être l'aptitude de l'homme à les concevoir
> et à les maintenir invinciblement est-elle une de ses *composantes*
> comme l'est l'aptitude à l'intelligence, et le but de notre civili-
> sation, dans l'ordre de l'esprit, devient-il, après avoir trouvé les
> techniques qui réintègrent les démons dans l'homme, de chercher
> celles qui y réintégreraient les dieux. [86]

Poète de la dernière guerre juste de l'Occident, Malraux,
dans *L'Espoir*, élève quelques points ignorés, mais souffrants,
de la géographie à la dignité d'étoiles qui ne sont pas près
de s'éteindre. Quelle revanche pour le héros de *La Voie
royale* dont la lucidité, encore enténébrée, cherchait désespérément sous le silence lourd des constellations — qui,
avant lui, avait fasciné Pascal et Kant —, à laisser une « *cicatrice sur la carte* » !

Cette cicatrice est là, multipliée sur la terre d'Espagne.
Elle bat comme un cœur qui égalerait l'homme au Monde.
Parce qu'une fois du moins, l'Action est devenue la sœur du
Rêve, aux étoiles anciennes de l'Au-delà, répondent d'autres
étoiles, ici-bas même, comme à la dignité immémoriale de

minuscules bourgades ou de pauvres campagnes grecques : Salamine, Delphes, Ithaque, Epidaure, Corinthe et Sounion, répond la voix susurrante, jamais lassée, de Teruel, du Manzanarès, de Guadarrama et la couronne incendiée qui enveloppe Madrid : Tetuan, Atocha, Quatro-Caminos, Carabanchel...

« *Le Monde* », pourra s'écrier Malraux, avec l'orgueil légitime du véritable créateur, « *s'est mis un jour à ressembler à mes livres.* » [87].

Face à une littérature de « mots » qui au nom de la liberté supprime le Cosmos, face à une littérature d'objets qui, au nom du réel, supprime la liberté, l'œuvre de Malraux, en même temps qu'elle apparaît comme une protestation de l'Imagination contre tous les nihilismes, se donne à nous comme héritière de la seule liberté — qui soit — du langage, la Poésie.

Ainsi, face aux écrivains dont la mauvaise conscience masochiste (volonté de puissance retournée contre elle-même) se débat entre le réalisme et la sincérité, deux valeurs d'héritage singulièrement bourgeois, et ces autres écrivains dont la fonction semble être non seulement d'entériner, mais de se complaire dans la mort du sujet, le lyrisme épique de Malraux apparaît comme la voix même de la Poésie qui parle « *au-dessus du charnier natal* », elle encore et toujours qui élève à la dignité de l'Histoire non seulement les hommes et leurs turpitudes, mais encore les lieux, le temps, le monde, à une existence plus qu'éphémère, à la dignité d'essences.

Etrange cheminement de la mort dans l'homme, puisque, par elle, nous voici soudain ramenés à la source, aux origines, *Das Lied von der Erde*, au Chant de la Terre.

NOTES

1. Le « Grand Paon », in *Préférences*, J. Corti, 1961, p. 164. J. Gracq n'a pas été le premier à faire le rapprochement avec Chateaubriand, mais depuis la publication des *Antimémoires* en particulier, ce rapprochement est devenu un lieu commun. Citons notamment *Le Monde* : supplément au n° 7062, 27 septembre 1967 : « *Voici que Malraux devient notre Chateaubriand...* » ; *La Quinzaine littéraire* (n° 35) : « *Malraux vient d'écrire ses* Mémoires d'outre-tombe ». L'une des dernières livraisons de *La Table ronde* (février 1968), qui s'intitule précisément « *Actualité de Chateaubriand* », fait la part belle à Malraux dont le nom réapparaît fréquemment au fil des commentaires.

Dans l'un de ceux-ci qui, comme par hasard, s'ouvre sur le nom de l'auteur de *La Condition humaine*, L. Martin-Chauffier se remémore la phrase de Chateaubriand : « *Notre espèce se divise en deux parts inégales : les hommes de la mort, et aimés d'elle, troupeau choisi qui renaît ; les hommes de la vie, et oubliés d'elle, multitude de néant qui ne renaît plus.* » Phrase qu'assurément — ô combien — aurait pu faire sienne Malraux.

Lui-même, dans le chapitre d'introduction de son dernier ouvrage, joue le jeu du rapprochement : « *Chateaubriand* [écrit-il — comme pour clore d'un paragraphe essentiel la liste de ses intercesseurs (Dostoïevsky, Bossuet, Tolstoï...) —] *dialogue avec la mort...* » (A, 16).

2. L'expression revient à deux reprises sous la plume de Clara Malraux dans un livre de souvenirs intitulé *Le Bruit de nos pas* (II : *Nos vingt ans*), Grasset, 1966, pp. 41 et 133.

3. Max Jacob qui n'aimait guère ce qu'il considérait comme un étalage de culture, fit un jour cette remarque : « *Il sera orientaliste et finira au collège de France comme Claudel. Il est fait pour les chaires.* » Cité par A. VANDEGANS, *La Jeunesse littéraire d'André Malraux*, J.-J. Pauvert, 1964, p. 233.

Vers la même époque, toutefois, Clara donnait de lui un portrait plus attrayant : « *La multiplicité de ses connaissances ne cesse de m'étonner, comme aussi la fantaisie ou la causticité qui tour à tour affleurent dans ses discours, l'originalité des rapprochements, la rapidité de ses mises au point. Son romantisme a deux visages, celui du pathétique et celui du dandysme.* » (*Op. cit.*, p. 25).

4. *Ibid.*, p. 191.

5. *Ibid.*, p. 84.

6. *Op. cit.*, p. 60. Perken ajoute, en contrepoint, cette phrase révélatrice : « *Puisque je dois jouer contre ma mort...* »

7. « *Presque tous les écrivains que je connais aiment leur enfance, je déteste la mienne. J'ai peu et mal appris à me créer moi-même, si se créer c'est s'accommoder de cette auberge sans routes qui s'appelle la vie [...] Je ne m'intéresse guère.* » (A, 10).

8. *Ibid.*, p. 18. Voir aussi Cl. MALRAUX, *op. cit.*, p. 94.

9. Cl. MALRAUX, *op. cit.*, pp. 92-93.

10. Le rapport à Pascal est évident (on regrette que W.M. Frohock dans son ouvrage sur *André Malraux and the Tragic Imagination*, Stanford University Press, 1967, n'ait pas fait place à ce rapprochement).
« *Une fois de plus* [écrit Malraux dans les dernières pages des *Noyers de l'Altenburg*] *Pascal me revient à la mémoire* » (*NA*, p. 289), et de citer le très célèbre fragment : « *Qu'on s'imagine un grand nombre d'hommes dans les chaînes, et tous condamnés à mort, dont les uns étant chaque jour égorgés à la vue des autres, ceux qui restent voient leur propre condition dans celle de leurs semblables... C'est l'image de la condition des hommes.* »
A l'époque de *La Condition humaine*, dans une lettre à G. Picon il indiquait déjà : « *Le cadre n'est naturellement pas fondamental. L'essentiel est évidemment ce que vous appelez l'élément pascalien.* » (Cf. *Malraux par lui-même*, Le Seuil, 1953, p. 2). Vingt ans plus tard, il écrira à J. Hoffmann : « *Vous avez raison de partir de Pascal* » (cité in *L'Humanisme de Malraux*, Klincksieck, 1963, p. 27).

11. « *Cet étrange soleil fait apparaître, comme une ombre immense, la face mystérieuse de la vie...* » (Annotation de Malraux, G. PICON, *op. cit.*, p. 70).

12. « Pourquoi la littérature respire mal », *Préférences*, pp. 96-97.

13. *Ibid.*, p. 98.

14. Le mot « horizon » doit être entendu dans son sens phénoménologique : ce à partir de quoi, sur quoi, et contre quoi surgit l'énonciation. Si l'on veut bien songer qu'il se pourrait que la Mort sous-tende toute interrogation, il apparaît urgent d'envisager le dit problème sous la forme du questionnement. Ce que Malraux d'ailleurs suggère lorsqu'il note dans ses *Antimémoires* (p. 17) : « *L'homme que l'on trouvera ici, c'est celui qui s'accorde aux questions que la mort pose à la signification du monde.* »

15. Cité par J. HOFFMANN, *op. cit.*, p. 369.

16. L'essence du refus de Dieu trouve son assise dans la parole d'Ivan Karamazov, selon laquelle rien ne saurait justifier la souffrance des enfants et d'une manière plus générale, la fin d'une existence humaine.

17. Nous serons amené dans le cours de cette étude à citer encore le nom du penseur allemand, tout en étant conscient des profondes différences qui le séparent de Malraux. L'exaltation de l'action, l'héritage romantique d'un certain éclairage, l'utilisation d'un langage porté au rouge... autant d'« effets » qui, naturellement, conviennent au romancier sans convenir au philosophe dont la pensée chemine dans le retrait, aussi proche qu'il se peut du silence... Dans la mesure où leurs deux interrogations se veulent plus *originaires* que celles de leurs contemporains (les théoriciens, de ce qu'on nomme l'existentialisme, en particulier), et refusent, par là même, de s'intégrer à un système, la démarche de Malraux et celle de Heidegger s'apparentent cependant.
Dans son « Introduction à une étude structurale des Romans de Malraux » (*Revue de l'Institut de Sociologie*, Bruxelles, 1963-2), L. Goldmann amorce entre eux une comparaison qui n'est pas sans intérêt surtout si l'on laisse de côté les présupposés sociologiques sous-jacents (cf. notamment, p. 301).

18. Fragment d'une lettre de Malraux à P.-H. Simon, cité in *Témoins de de l'Homme* (« André Malraux et le sacré »), A. Colin, 1960, p. 148. Comment ne pas être immédiatement sensible à la différence d'accent, qui sépare cette parole de la phrase sartrienne qu'on trouve dans *La Nausée* : « *L'existence est un fléchissement.* »

19. « *L'homme, cet animal malade* » disait Hegel. Phrase reprise plus tard par Unamuno (*Le Sentiment tragique de la vie*). Est-ce à travers ce dernier que Malraux a pratiqué Senancour ? Peu importe. Il est amusant de noter cependant que l'auteur des *Antimémoires* emprunte à la fille de Senancour le surnom dont elle s'était affublée pour écrire (« Pauline de Sombreuse »), afin de peindre — il s'agit d'une parodie — la romanesque et mûrissante Nathalie Chaminade, « *en littérature : Thalie de Sombreuse* » (*Op. cit.*, p. 398).

20. *Loc. cit.*, p. 300.

21. Il paraît bon de noter ici que ce sentiment d'étrangeté radicale ne conduit pas, cependant, Malraux au mépris. Dans la description qu'il donne des petites gens : les ménagères, le commis, on trouve comme un obscur appel de tendresse que traduit par exemple « *l'odeur de pain chaud* ». Le pathétique s'en trouve accru d'autant.

22. L'érotisme, si présent dans les premières œuvres, porte en lui le message ambigu de sa double appartenance : volonté de puissance et sentiment d'impuissance, tous deux s'exacerbant, sous la dépendance d'une intelligence avide, à travers l'autre, de coïncider avec elle-même. La fascination qu'il paraît exercer sur le jeune Malraux vient sans doute de ce que, pour ainsi dire, il branche magiquement l'individu sur les profondeurs rêvées. Quant au dogmatisme, l'Eglise d'Espagne, à l'époque de *L'Espoir*, en porte témoignage, au même titre que l'hitlérisme ou le stalinisme.

23. Pour les rapports à établir entre cinéma et roman, cf. en particulier le chapitre v de son *Esquisse d'une Psychologie du Cinéma* (1939).

24. Qui, avant de connaître la célébrité distante qu'est la sienne aujourd'hui, fut, tout jeune, l'auteur d'un album de dessins sur les chats que Rilke préfaça en 1920 (cf. la correspondance de Rilke avec Ch. Vildrac, in *Rainer Maria Rilke*, Librairie Les Lettres, 1952, pp. 37-38).

25. Auteur d'un ouvrage injustement méconnu, *Les Iles*, dans lequel le premier et l'un des plus beaux chapitres, précisément dédié à Malraux, est consacré au moins domestique des animaux de la demeure.

26. Cf. Cl. MALRAUX, *op. cit.*, pp. 248 et 270. Dans *La Condition humaine*, Malraux note à propos de Ferral — mais peut-être songe-t-il à lui-même — « *[Il] aimait les animaux, comme tous ceux dont l'orgueil est trop grand pour s'accommoder des hommes ; les chats surtout.* » (*Romans*, p. 265).

27. *Lunes en papier*, Genève, A. Skira, 1945, p. 170.

28. Comme on disait autrefois, dans la poésie grecque, antistrophe. Peut-être ici s'agit-il de ce qui accompagne, de ce qui sous-tend en profondeur, de ce qui vient *avant* les événements du quotidien dont se préoccupent les habituels *Mémoires*.

29. La mort du monde ancien, la mort de l' « homme » en particulier, libère soudain des énergies, des formes, des mots qu'on n'avait guère jusqu'ici soup-

çonnés, sauf aux époques où le Sacré — comme au moyen âge — pénétrait de
toute part les existences. C'est le sens premier, croyons-nous, du farfelu, conçu
comme décomposition des formes traditionnelles, chez Malraux. « *Le possible,
domaine ancien du fantastique et de la folie, avec son peuple de songes, s'élève
tout à coup à une bizarre royauté.* » (*JE*, p. 150). Shakespeare n'est pas loin,
Marat-Sade non plus.

30. R.M. RILKE, *Elégies de Duino*, trad. R. Biemel, Falaize, 1949, p. 66.
A notre connaissance, le nom de Rilke n'est jamais cité dans l'œuvre de Malraux.
Ce dernier ne peut pas cependant l'avoir ignoré. Sa première femme, Clara (d'origine allemande), leurs amis Yvan et Claire Goll, Balthus, P.J. Jouve (les *Ecrits*
publiés dans la collection des « Cahiers Verts » chez Grasset en 1927, contiennent
outre *D'une jeunesse européenne*, un poème de Jouve à la mémoire de Rilke,
mort dans les tout derniers jours de 1926), n'ont pu manquer de s'en entretenir
avec lui.

31. *Royaume Farfelu*, in *Œuvres complètes*, Skira, 1945, p. 147. Faut-il voir
dans le nom de ce roi d'Extravagance : Estragon V, l'origine du nom des deux
« héros » de Samuel Beckett : Estragon et Vladimir ?

Il serait amusant de souligner également les rapprochements qu'à travers
les premières œuvres on pourrait faire avec Pinget par exemple (cf. *Graal Fli-
buste* : l'épisode des « bloues » et chez Malraux, l'épisode des oiseaux qui tom-
bent dans le lac : *Lunes en papier, op. cit.*, p. 172).

32. Ling semble répondre ici à une précédente lettre de A.D. où le Fran-
çais donnait sans le savoir la plus belle définition qu'on puisse donner du chat
archétypal : « *Le mouvement dans le rêve...* » (*TO*, 99).

33. RILKE, *op. cit.*, pp. 65-66.

34. *Ibid.*, p. 63.

35. Mais plus « vivant » — pourrait-on dire — que les hommes, tel le chat,
médiateur premier, qui réveille Tchen de son engourdissante fascination au cours
du meurtre — à cause sans doute de sa connaissance infuse, de sa proximité
(il est complice en cela parfois insupportable) du mystère de la mort.

36. Cité par A. MALRAUX, « Des origines de la poésie cubiste », *La Connaissance*, janvier 1920, pp. 39-40. Nous ne résistons pas à la tentation de rapporter
le jugement du jeune critique (il venait tout juste d'avoir dix-huit ans), sur Max
Jacob. Une intuition aiguë du farfelu y est déjà parfaitement discernable, qui
nous fait déboucher soudain en plein sur le Baroque ancien : « *Max Jacob appor-
tait au cubisme une ironie fluette, un mysticisme un peu charentonesque, le sens
de tout ce qu'il y a de bizarre dans les choses quotidiennes, et la destruction
de la possibilité, de l'ordre logique des faits. Il exprimait, non ce que son sujet
déterminait, mais les actes ou les dessins évoqués par son imagination. Comme
cette imagination était carnavalesque au possible, et que ses analogies, habits
d'arlequin pâlis, étaient toujours atténuées, il en résulta des phrases comme celle-
ci, vraiment sans banalité : "Un incendie est une rose ouverte sur la queue d'un
paon."* ».

37. Lorsque G. Picon eut écrit que « *Goya* [était plus cher et plus présent
à Malraux] *que Baudelaire* », on conçoit que l'auteur de *Saturne* se soit empressé
de noter en marge du livre : « *Je ne crois pas* » (*op. cit.*, pp. 121-22). La négli-
gence apparente de la remarque ne faisant qu'accroître la valeur expressive de
la litote.

38. Analysant, dans une causerie sur Nietzsche, Freud, Marx (cf. *Nietzsche*, Cahiers de Royaumont, éd. de Minuit, 1967, pp. 184-5), ce qu'il nomme le « *corpus de la ressemblance au XVI° siècle* », M. Foucault rappelle opportunément le sens ancien du mot *signatura*, « *la signature qui est parmi les propriétés visibles d'un individu, l'image d'une propriété invisible et cachée* ». Sur Malraux et les chats, voir en outre, G. Picon, *op. cit.*, pp. 88-89.

39. « [...] *des fous qui auraient tout à coup conquis un Opéra...* » écrira Malraux dans *Le Temps du Mépris* (p. 79).

40. Image de cauchemar à la Füssli.

41. Il est bon de se souvenir que Malraux fait, à propos de Goya, la remarque suivante : « *Ce sacré qui l'obsède nous frappe par son caractère négatif : un négatif photographique qui suggère son épreuve, un verre noir à travers quoi se devinent les astres.* » (*Saturne*, Gallimard, 1950, p. 154).

42. *Histoire de la folie à l'âge classique*, Plon, 1961, p. VII.

43. « *Silence* [écrira Malraux] *sur une fourmilière de petits bruits* » (*TM*, 37).

44. *L'Espoir* en offrira de multiples exemples.

45. *Op. cit.*, p. 150. Signalons qu'en appendice à la traduction du livre de W. S. Langlois (*André Malraux, l'aventure indochinoise*, Mercure de France, 1967) se trouve un texte peu connu, publié en 1925 par l'écrivain, sous le pseudonyme de Maurice Sainte-Rose, texte intitulé « L'Expédition d'Ispahan » qui contient les images et les thèmes principaux que l'on rencontrera plus tard dans *Royaume-Farfelu*, en particulier le thème de la ville abandonnée aux insectes, mais dans un contexte politique contemporain puisqu'il met en scène la révolution soviétique.

46. *Lunes en papier*, p. 180.

47. Que la musique s'éloigne et l'inhumain réapparaît, solidifiant les gestes, les pensées, le temps. « *Il était collé au mur. "Comme un mille-pattes", pensa-t-il, écoutant toute cette musique née de sa pensée et qui peu à peu se retirait, l'abandonnait là comme un poisson mort et refluait vers le néant avec le son même du bonheur humain.*
Seule, pouvait s'accorder à la pierre une espèce de sous-homme sournoise, soumise, devenue enfin étrangère au temps. Le temps des prisonniers, cette araignée noire, oscillait dans leurs cachots, aussi atroce et fascinant que le temps de leurs camarades les condamnés à mort. Car Kassner souffrait moins dans le présent que dans un futur obsédant, dans un perpétuel "à jamais" que l'absolue dépendance et la porte fermée rendaient plus pénétrant que le froid, l'obscurité et l'écrasement même de la pierre. » (*TM*, pp. 60-61).

48. « Notes sur André Malraux », in *Cheminements et Carrefours*, J. Vrin, 1938, p. 23.

49. « *La chose capitale de la mort, c'est qu'elle rend irrémédiable ce qui l'a précédée, irrémédiable à jamais.* »

50. « *La mort est là* [...] *comme l'irréfutable preuve de l'absurdité de la vie...* » (*VR*, 106-107).

51. Souvenons-nous que Perken dit ceci : « *Le temps, se développe en moi comme un cancer, irrévocablement...* » (*op. cit.*, p. 107).

52. *Op. cit.*, pp. 22-23.

53. L'œuvre d'art tire elle aussi sa vérité de sa relation avec la Mort. On lit ceci, par exemple, dans *Le Musée imaginaire* : « *Le vrai Musée est la présence, dans la vie, de ce qui devrait appartenir à la mort* » (Gallimard, 1965, coll. « Idées-Arts », p. 233).

54. *Portrait de l'Aventurier*, Le Sagittaire, 1950, p. 19.

55. Perken, lui, sent « l'autre, *dans le martèlement lancinant de ses veines* » (*VR*, 180).

56. « *Mon père se souvint de la ville des Mille et une nuits où tous les gestes humains, la vie des fleurs, la flamme des lampes ont été suspendus par l'Ange de la Mort.* » (*NA*, 198).

57. *Op. cit.*, p. 74.

58. *Malraux*, Editions Universitaires, 1960, p. 48.

59. D'où l'extrême signification de la multitude des destins torturés que l'on rencontre dans cette œuvre. Ou comme l'a dit Rachel Bespaloff : « *Malraux prête à l'épreuve de la torture une signification quasi métaphysique. Elle est, aux confins du possible, la "question", au double sens du mot.* » (*op. cit.*, p. 24). La mort pénètre la vie par cet « écartèlement de l'âme » qu'est le supplice de l'humaine condition, dans la distorsion de la volonté interrogée par l'être. Aussi s'étonne-t-on qu'une lecture bien intentionnée, mais mutilante comme celle de J.-M. Domenach soit encore possible de nos jours. Ce dernier n'écrit-il pas : « *Comment la mort pourra-t-elle être intégrée à la vie autrement que par la conviction totale du militant dont le sacrifice nourrit les générations à venir comme le terreau nourrit la forêt ?* Or cette conviction le héros de Malraux ne la possède pas... » (« Malraux ou la tragédie de la mort » in *Le Retour du Tragique*, Le Seuil, 1967, p. 192) ? Parler ainsi c'est accentuer l'aspect politique et pessimiste de l'œuvre au détriment de sa respiration tragique (comme le faisait la critique des années 50). Or cette respiration faite de désespoir mais aussi de ferveur contenue, tour à tour oppressée et délivrée, se fait de plus en plus ample au fur et à mesure que la mort *mûrit* en l'homme, c'est-à-dire que le temps de l'épreuve s'étend à toute une vie. Il suffit pour cela de comparer le début et la fin de *L'Espoir*.

a) début : « *Un chahut de camions chargés de fusils couvrait Madrid tendue dans la nuit d'été.* »

b) fin : « *Manuel entendait pour la première fois la voix de ce qui est plus grave que le sang des hommes, plus inquiétant que leur présence sur la terre — la possibilité infinie de leur destin ; et il sentait en lui cette présence mêlée au bruit des ruisseaux et au pas des prisonniers, permanente et profonde comme le battement de son cœur.* »

Bien sûr, on trouve une volonté de témoignage chez certains héros de Malraux. A la question posée par Kassner dans *Le Temps du mépris* : « *Comment rendre sa mort utile ?* » Tchen répond dans *La Condition humaine* : « *Faire renaître des martyrs.* » Mais là n'est pas l'essentiel. La mort est sentie comme intégrée à la vie précisément là où le militant s'efface devant l'homme, permettant ainsi d'installer la déchirure en soi, la déchirure par où quelque chose s'essaie à parler en nous...

Que « *l'irrésolu [...] fonde le tragique de Malraux ; car il n'appartient pas à la tragédie de résoudre les contradictions, mais de les porter à l'incandescence* » (*op. cit.*, p. 193), c'est vrai ; simplement l'incandescence en question est celle-même du cœur, hypertrophié, de l'Existence. D'ailleurs Malraux évoque fréquemment « *le bruit de gong de la mort* » confondu avec les battements du sang, source de toute vie.

60. Pensée voisine de celle que Gide exprime dans un fragment de ses *Nourritures terrestres* : « *Nathanaël, je te parlerai des* instants. *As-tu compris de quelle force est leur* présence ? *Une pas assez constante pensée de la mort n'a donné pas assez de prix au plus petit instant de ta vie. Et ne comprends-tu pas que chaque instant ne prendrait pas cet éclat admirable, sinon détaché pour ainsi dire sur le fond très obscur de la mort ?* » (Livre Deuxième).

61. « André Malraux ou l'impossible déchéance », *Esprit*, n° 10, 1948, p. 481.

62. C'est-à-dire : non pas ce pitoyable mélange de prudence et de regrets avec lequel on la confond si souvent, mais une admirable audace qui se juge elle-même.

63. *L'Homme et la culture artistique*, éd. de la Revue *Fontaine*, 1947, p. 75.

64. *Op. cit.*, p. 104.

65. Œuvre très ramassée, centrée sur l'art d'un peintre admiré, vivant dans une époque de transition, et qui fut à la fois une redécouvreur du Sacré et l'annonciateur de la peinture moderne, *Saturne* constitue la meilleure introduction à « *l'histoire de la faculté transformatrice* » chez Malraux : il est peu, semble-t-il, de passages essentiels de cette œuvre qui ne concernent *directement* l'auteur de *L'Espoir* et des *Noyers de l'Altenburg*.

66. Et ce jusqu'au sein d'un art de communion. Car l'expression évocatrice ne trouve sa force que dans l'*accusation* (au double sens éthique et esthétique du mot) de la déchirure qu'inflige à l'homme le Cosmos. C'est d'elle que l'amour, infiniment menacé, tire son pathétisme — il est un pont au-dessus de la Mort — comme tout ce qui est fragile, sa grandeur. Ainsi la profondeur mystérieuse du sourire (cf. la scène finale des *Noyers de l'Altenburg*) qui éclaire parfois le visage de certains personnages malruciens, vient de ce qu'il est conquis sur l'ombre, comme celui de Çâkyamuni l'est sur la douleur.

67. Cité par W. S. Langlois, p. 262.

68. Voir à ce sujet l'anecdote reprise dans les *Antimémoires* (p. 332) : « *Le Bouddha leur a promis que s'ils se conduisaient bien, un matin, ils deviendraient des hommes. Alors, tous les soirs ils espèrent — et tous les matins ils pleurent...* »

69. On pense à l'avant-dernière phrase de *L'Espoir*, à Manuel découvrant pour la première fois à travers la Musique, ce Rythme essentiel, « *la voix de ce qui est plus grave que le sang des hommes, plus inquiétant que leur présence sur la terre, — la possibilité infinie de leur destin* [...] » (*Romans*, 858).
        La possibilité infinie, les possibles, qui intronisent ici le mystère de l'existence humaine dans son rapport à la mort, méritent d'être entendus au sens schellingien de magie suractivante, création et destruction vivant à chaque instant l'une de l'autre, dans la prise de possession de l'être par sa liberté ; liberté, qui, comme le dit l'un des commentateurs de Schelling, « *dévore pour ainsi dire toutes les formes dans lesquelles elle se trouve enfermée et qui, après chaque limitation subie, renaît comme le phénix de ses cendres, régénérée, transfigurée par la flamme qui ne s'éteint jamais* » (S. Jankélévitch, Préface aux *Essais*, Aubier, 1946, p. 38). Un texte bouddhique cité par Malraux parle de « *la flamme, toujours la*

même, de la torche qui ne cesse de changer en se consumant ». Sur l'intérêt porté par Malraux à Görres, disciple de Schelling et auteur de *Mythengeschichte der asiatischen Welt*, A. Vandegans **nous fournit quelques renseignements** (*op. cit.*, p. 21).

70. « *Il semblait que je fusse appelé par un pèlerinage de Çiva : Bénarès, Madura, Ellora, bientôt Elephanta...* » (*A*, 279).

71. M. DEGUY, *Actes*, Gallimard, 1966, p. 263.

72. Il n'est pas jusqu'à l'*Ecrit pour une idole à trompe* qui n'évoque, par son titre au moins, le cycle hindou de Çiva, puisqu'il renvoie implicitement à Ganesha, le dieu à tête d'éléphant, fils de Çiva.

La mythologie, notons-le, nous explique que Ganesha lança une de ses défenses contre la Lune qui, se moquant de lui, avait éclaté de rire. N'y a-t-il pas une réminiscence de ce récit au début de *Lunes en papier* où Malraux nous dit de la lune qu' « *elle rit tant que ses notes qui étaient ses dents se décrochèrent et tombèrent toutes ensemble* » (*op. cit.*, p. 159) ?

L'idole à trompe, c'est aussi comme le souligne A. Vandegans, le pavillon des antiques phonographes. Quand on connaît la véritable fascination qu'exerça sur Malraux le phénomène « magique » de l'enregistrement de la voix humaine (dès 1929, dans son article de *Variétés*, intitulé « La Question des Conquérants », plus tard, bien entendu dans *La Condition humaine*, enfin dans *Les Voix du silence*, il s'en préoccupe...), il n'est pas inintéressant d'établir un lien entre les deux avatars de l'idole à trompe, même s'il s'agit d'avatars burlesques : Ganesha et le pavillon du phonographe, l'un et l'autre, sont des mises en forme de l'insondable : ils captent les *Voix du silence* les rendant perceptibles par la ligne et l'oreille, les mythifiant, ils les humanisent du même coup. Tout le problème de l'expression en art par le détour de l'information, se trouve posé là. « *Les autres voix, en art, ne font qu'assurer la transmission de cette voix intérieure.* » (*VS*, 628). Dans l'article de *Variétés*, cité plus haut, Malraux rattache d'ailleurs expressément le phénomène de stylisation romanesque, au « détour » par le moyen de l'enregistrement : dans les deux cas la communication s'établit avec l'autre par le moyen paradoxal d'une distanciation qui est une mise en forme.

73. Admirable expression : blessure qui parle...

74. Il faudrait citer également l'épisode où Malraux blessé se trouve soigné par la patronne aux cheveux blancs d'un hôtel provincial et ensuite par la mère supérieure d'un couvent. Là encore la méditation devant la mort débouche sur l'art, mais au second degré pour ainsi dire, car Malraux, subtilement, tout pénétré du mélange de familiarité et de noblesse qui l'environne, peint sous nos yeux un Georges de La Tour de la tendresse humaine.

75. Comme chez Bernanos qu'appréciait Malraux : « *Je pense à Bernanos parce que je passe devant Saint-Séverin. Je n'y suis pas revenu depuis ses obsèques. L'église était pleine, mais il n'y avait pas d'écrivains, je crois. C'était un jour de mars, avec les nuages bas et déchirés des plus belles scènes de ses romans, et des échappées soudaines de soleil.* » (*A*, 570).

76. A plusieurs reprises, dans *L'Espoir* en particulier, revient cette idée que l'on rencontre dans *Saturne* : « *Le masque n'est pas pour Goya ce qui cache la face, mais ce qui l'a fixe... [Il] retrouve (au besoin en figeant les traits des vivants), le masque véritable, qui n'est pas autre chose que le visage des morts.* » (*op. cit.*, p. 48). Citons pour mémoire la scène du retour de l'avion en feu :

« *Comme Marcelino avait été tué d'une balle dans la nuque, il était peu ensan-glanté* [...]
    L'une des serveuses du bar le regardait.
    — *Il faut au moins une heure pour qu'on commence à voir l'âme, dit-elle.*
    [...] *Magnin pensait à la phrase qu'il venait d'entendre, qu'il avait entendue sous tant de formes en Espagne ; c'est seulement une heure après leur mort, que, du masque des hommes, commence à sourdre leur vrai visage.* » (*Romans*, 569).

77. *Op. cit.*, p. 282.

78. Malraux aime citer la phrase de Flaubert : « Salammbô *est un roman pourpre et* Madame Bovary *un roman puce...* ». *L'Espoir* ne serait-il pas, à son tour, le roman du rouge, dans toutes ses nuances : du rose fragile au grenat sombre... ?

79. *Op. cit.*, p. 252. En effet il « *réinvente poétiquement la morale* ». Qu'on soit bien sûr qu'il ne s'agit pas là de bavardage. Scali dit : « [...] *aucun tableau ne tient en face des taches de sang* » (*Romans*, 703). C'est vrai. A condition d'oublier que les taches de sang font le tableau lui-même, qui perpétue leur accusation. Le dialogue entre Alvear et Scali est à relire dans cette perspective.

80. Parlant du romancier, Malraux note : « *Il a besoin* [...] ([d'] *un certain domaine de souvenirs, sans doute*), *comme un médium a besoin de cartes ou d'objets. Mais l'instrument magique est interchangeable : ce qui nous intéresse, c'est la magie.* » Cité par A. VANDEGANS, p. 287.

81. G. PICON, *op. cit.*, p. 40.

82. *Ibid.*, p. 80.

83. « Note sur Malraux », *La Part du Feu*, Gallimard, 1949, p. 214.

84. Cf. notamment : « Nature, humanisme, tragédie », in *Pour un nouveau roman*, Gallimard, 1963, coll. « Idées ». Que répondre à cela ? Robbe-Grillet, avec brio, parle le langage d'une autre planète.

85. G. PICON, *op. cit.*, p. 26.

86. Discours recueilli in *Renaissance 2000*, n° 5, octobre 1967, pp. 8-9.

87. P. de BOISDEFFRE, *op. cit.*, p. 34.

TABLE

Le Directeur-Gérant : M. J. MINARD   Dépôt légal 1ᵉʳ Trimestre 1969
Imprimerie Graphi-Technique Paris